DEUTSCH × 3
LERNBUCH I

Deutsch × 3

Ein moderner Sprachkurs
für Ausländer

Von Heinz Griesbach

Lernbuch I

LANGENSCHEIDT

BERLIN · MÜNCHEN · WIEN · ZÜRICH

Verfasser: Dr. Heinz Griesbach
Mitarbeiter: Rosemarie Griesbach, Gudrun Uhlig
Illustrationen, Layout: Herbert Horn
Karte: Arnulf Milch
Umschlag: Arthur Wehner

Deutsch x 3

Basiskurs:	Lernbuch (Lernstufe I, II und III) mit Glossar und Lösungsheft
Zertifikat-Kurs:	Lernbuch und Übungsbuch (Lernstufe I, II und III) mit Glossar und Lösungsheft
Gesprächskurs:	Lernbuch und Gesprächsbuch (Lernstufe I: „Unterwegs"; Lernstufe II: „Meine Meinung") mit Glossar und Lösungsheft
Lesekurs:	Lernbuch und Leseheft (Lernstufe I, II und III) Lesehefte „Aktuell und interessant" I, II und III mit Glossar und Lösungsheft
Weitere Arbeitsmittel:	Schallplatten, Compact-Cassetten, Tonbänder, Diapositive, Transparentfolien

Auflage: 11. 10. 9. 8. 7. │ Letzte Zahlen
Jahr: 1989 88 87 86 85 │ maßgeblich

© 1974 Langenscheidt KG, Berlin und München
Druck: E. Rieder, Schrobenhausen
Printed in Germany · ISBN 3-468-49501-3

Inhalt

Bemerkung: Für die Lektionen 9, 22, 23 und 24 sind keine audio-
visuellen Einführungen vorgesehen.

1

Werkmeister Busch

Guten Tag! Ich bin Werkmeister hier bei
Müller & Co.
Mein Name? Ich heiße Busch,
Karl Busch.
Ich bin verheiratet. Ich glaube,
ich habe ein Foto dabei.

Das ist meine Familie.
Da, das ist Inge, meine Frau.
Und das ist mein Sohn Klaus.
Hier ist meine Tochter Helga.
Und das da bin ich.

Und wer sind Sie? Wie heißen Sie?

A Herr ... Frau ... Fräulein ...

oi (handwritten above "Fräulein")

This (handwritten)

Das ist ...

Das ist ...

Das ist ...

Das ist ...

Wer ist das?  ... Karl Busch.

Wer ist das?  ... Inge Busch.

Wer ist das?  ... Klaus Busch.

Wer ist das?  ... Helga Busch.

Wer ist das?  ... Familie Busch.

C

Who are you? I am

1. *Wer sind Sie? – Ich bin Karl Busch.*
2. ...? – ... Inge Busch. **3.** ...? – ... Klaus Busch. **4.** ...? – ... Helga Busch.

D   mein ...   meine ...

Who is

1. *Wer ist Inge, Herr Busch? – Inge ist meine Frau.*
2. Wer ist Klaus, Herr Busch? – ... mein Sohn. **3.** Wer ist Helga, Herr Busch? – ... meine Tochter. **4.** Wer ist Klaus, Frau Busch? – ... mein Sohn. **5.** Wer ist Helga, Frau Busch? – ... meine Tochter. **6.** Wer ist das, Herr Busch? – ... meine Familie.

7. *Das ist Herr Karl Busch, und wer ist das? – Das ist Herr Klaus Busch.*
8. Das ist Frau Inge Busch, und wer ist das? – ... Helga Busch. **9.** Das ist Herr Klaus Busch, und wer ist das? – ... Inge Busch. **10.** Das ist Fräulein Helga Busch, und wer ist das? – ... Karl Busch.

E

1. *Wer ist das? Ist das Herr Busch? – Ich glaube, das ist Herr Busch.*
2. Frau Busch? **3.** Fräulein Busch? **4.** Klaus? **5.** Helga?

F

Wer sind Sie?   – Ich bin .....
Wie heißen Sie?   – Ich heiße .....
Wie ist Ihr Name?   – Mein Name ist .....
your

Besuch bei Frau Busch

– Wie geht es Ihnen, Frau Busch?
– Danke, gut. Ich bin zufrieden.
– Und was machen Sie? Arbeiten Sie
  noch als Sekretärin?
– Nein. Ich bin nur noch Hausfrau.
  Ich habe zu Hause genug zu tun.

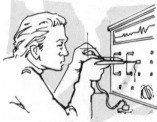

– Ja, natürlich. Und was macht Ihr Mann?
– Der arbeitet bei Müller & Co.
  Er ist Werkmeister.

– Und Ihr Sohn?
– Der Klaus? Der studiert in Hamburg
  Elektrotechnik.

– Soso. Und Ihre Tochter geht noch
  in die Schule, oder ...?
– Nein, sie ist Fotolaborantin
  bei Foto-Wagner.

Well,

– Ach, das ist aber interessant.
Mein Bruder Otto ist Fotoreporter.
Er arbeitet für die Zeitung und ist viel
auf Reisen.

travel

Are you *Yes, I am*

A Sind Sie ...?   Ja, ich bin ...

mas. *tear* *fem.*

1. *Sind Sie Werkmeister? – Ja, ich bin Werkmeister.*
2. ... Sekretär? – Ja, ... (... Sekretärin? – Ja, ...) **3.** ... Hausfrau? – Ja,
... **4.** ... Laborant? – Ja, ... (... Laborantin? – Ja, ...) **5.** ... Karl Busch?
– Ja, ... **6.** ... Helga Busch? – Ja, ...

as

B Arbeiten Sie als ...?   Ja, ich arbeite als ...

1. *Arbeiten Sie als Werkmeister? – Ja, ich arbeite als Werkmeister.*
2. ... Sekretär? – Ja, ... (... Sekretärin? – Ja, ...) **3.** ... Laborant? – Ja,
... (... Laborantin? – Ja, ...)

C was ...?
(What)

1. *Was sind Sie? – Ich bin Werkmeister.*
2. Was sind Sie? – ... Sekretär (Sekretärin). 3. Was sind Sie? – ... Hausfrau. 4. Was sind Sie? – ... Laborant (Laborantin).

D
(What to do)

1. *Was machen Sie? – Ich arbeite als Werkmeister.*
2. ...? – ... Sekretär (Sekretärin). 3. ...? – ... Laborant (Laborantin).

E Ihr ... / Ihre ...   mein ... / meine ...
(mas. / fem.) *(Your)* *(mine)*

1. *Ist Klaus Ihr Sohn? – Ja, Klaus ist mein Sohn.*
2. ...? – Ja, Otto ist mein Bruder. 3. ...? – Ja, Helga ist meine Tochter.
4. ...? – Ja, Inge ist meine Frau. 5. ...? – Ja, Karl ist mein Mann.

F der ... / er

1. *Arbeitet der Werkmeister bei Müller & Co.? – Ja, er arbeitet bei Müller & Co.*
(the)
2. Studiert der Sohn in Hamburg? 3. Arbeitet der Bruder als Fotoreporter? 4. Ist der Werkmeister zu Hause? 5. Ist der Besuch bei Frau Busch?
(Visitor)

G

1. *Ist Herr Busch Werkmeister? – Ja, er ist Werkmeister.*
2. Studiert Klaus Elektrotechnik? 3. Ist Otto Fotoreporter? 4. Ist Otto hier? 5. Ist Klaus in Hamburg?

1. *Ist die Tochter Fotolaborantin? – Ja, sie ist Fotolaborantin.*
2. Arbeitet die Tochter bei Foto-Wagner? 3. Ist die Frau zufrieden?
4. Arbeitet die Frau hier als Sekretärin?

I

1. *Ist Frau Busch Hausfrau? – Ja, sie ist Hausfrau.*
2. Arbeitet Inge zu Hause? 3. Ist Fräulein Busch Fotolaborantin?
4. Arbeitet Helga bei Foto-Wagner? 5. Ist die Familie zufrieden?

J

1. *Was ist Karl? – Er ist Werkmeister.*
2. Inge? – Hausfrau; 3. Helga? – Fotolaborantin; 4. Otto? – Fotoreporter.

K

1. *Was macht Karl? – Er arbeitet bei Müller & Co.*
2. Inge? – zu Hause; 3. Helga? – bei Foto-Wagner; 4. Otto? – für die Zeitung.

L

1. *Karl arbeitet bei Müller & Co. – Ich arbeite auch bei Müller & Co.*
2. Otto arbeitet für die Zeitung. 3. Inge arbeitet zu Hause. 4. Helga arbeitet bei Foto-Wagner. 5. Klaus studiert in Hamburg. 6. Klaus ist zufrieden.

3

Mittagspause

Fräulein Busch arbeitet morgens von acht bis zwölf und nachmittags von eins bis fünf im Labor. Mittags hat sie eine Stunde Mittagspause.

– Es ist Mittag.
– Na, Gott sei Dank! Ich habe Hunger. Mir knurrt schon der Magen.
– Ich gehe heute in die ‚Nordsee‘. Ich habe Appetit auf Fisch. Gehen Sie auch essen?
– Ja, mache ich! Gehen wir?

NORDSEE

– Was darf es sein?
– Ein Fischfilet mit Kartoffelsalat und eine Limo, bitte!
– Das macht vier Mark zehn. Und was bekommen Sie? Auch Fischfilet?
– Nein. Ich bekomme eine Erbsensuppe mit Bockwurst, Kieler Sprotten mit Salat, Butter und Brötchen. Ja, und ein Bier.
– Das macht dann acht Mark fünf.

– Mein Kollege Peter Sand ist sehr nett, und er hat immer Hunger.

A das ... / es

1. Ist das Labor hier? – Ja, ... hier. **2.** Ist das Foto interessant? – Ja, ... interessant. **3.** Haben Sie das Foto dabei? – Ja, ... dabei. **4.** Ist das Bier gut? – Ja, ... gut. **5.** Bekommen Sie das Fischfilet? – Ja, ... **6.** Ist das Brötchen noch gut? – Ja, ... noch gut.

B der ... / das ...   ein ...   die ...   eine ...

1. *Wer ist das? – Das ist ein Werkmeister.*
2. Wer ist das? – ... Laborantin. **3.** Wer ist das? – ... Kollege. **4.** Wer ist das? – ... Besuch. **5.** Wer ist das? – ... Sekretärin.

6. *Was ist das? – Das ist ein Foto.*
7. Was ist das? – ... Fisch. **8.** Was ist das? – ... Brötchen. **9.** Was ist das? – ... Bockwurst. **10.** Was ist das? – ... Labor. **11.** Was ist das? – ... Limo. **12.** Was ist das? – ... Mark.

C

1	2	3	4	5	6	7	8	9
eins	zwei	drei	vier	fünf	sechs	sieben	acht	neun
10	11	12						
zehn	elf	zwölf						

1. *Wie spät ist es? – Es ist 12.*
2. ..... – ..... 5.
3. ..... – ..... 7.
4. ..... – ..... 10.
5. ..... – ..... 8.
6. ..... – ..... 1.

7. *Wie spät ist es? – Es ist 4.*
8. ..... – ..... 2.
9. ..... – ..... 6.
10. ..... – ..... 9.
11. ..... – ..... 3.
12. ..... – ..... 11.

15

D Sie – wir *[handwritten: we]*

wir sind, haben, arbeiten, gehen, heißen

1. *Sind Sie zufrieden? – Ja, wir sind zufrieden.*
2. Sind Sie heute zu Hause? **3.** Haben Sie Appetit auf Fisch? **4.** Haben Sie ein Foto dabei? **5.** Gehen Sie mittags in die ‚Nordsee‘? **6.** Gehen Sie heute essen? **7.** Heißen Sie Klaus und Helga? **8.** Arbeiten Sie im Labor? **9.** Arbeiten Sie nachmittags zu Hause?

E er / sie **ist, hat,** arbeitet, bekommt, geht, heißt, studiert *[handwritten: toget?]*

1. *Sind Sie heute im Labor? – Nein, aber Helga ist heute im Labor.*
2. Sind Sie nachmittags zu Hause? – Nein, aber meine Frau ... **3.** Haben Sie ein Foto dabei? – Nein, aber Klaus ... **4.** Gehen Sie mittags immer essen? – Nein, aber meine Tochter ... **5.** Studieren Sie in Hamburg? – Nein, aber mein Bruder ... **6.** Bekommen Sie Erbsensuppe? – Nein, aber mein Kollege ... **7.** Heißen Sie Klaus? – Nein, aber mein Sohn ... **8.** Arbeiten Sie bei Müller & Co.? – Nein, aber der Werkmeister Busch ...

F Wer? Was?

1. *Helga bekommt Fisch. – Wer bekommt Fisch? Helga?*
2. *Peter bekommt Bockwurst. – Was bekommt Peter? Bockwurst?*
3. Karl hat ein Foto dabei. – Was .....? **4.** Otto ist viel auf Reisen. – Wer .....? **5.** Klaus studiert Elektrotechnik. – Was .....? **6.** Hier ist das Labor. – Was .....? **7.** Frau Busch hat Besuch. – Wer .....? **8.** Klaus ist in Hamburg? – Wer .....? **9.** Otto ist Fotoreporter. – Was .....?

G

1. *Was darf es sein? – Ich bekomme ein Bier.*
2. Fischfilet; **3.** Bockwurst; **4.** Erbsensuppe mit Bockwurst; **5.** Brötchen mit Butter; **6.** Limo.

16

1. DM 5,10 *(fünf Mark zehn)*
2. DM 6,12; **3.** DM 7,05; **4.** DM 3,08; **5.** DM 1,07; **6.** DM 4,11; **7.** DM 2,12; **8.** DM 9,10.

I

A: Bitte, Fräulein!
C: Ja, was darf es sein?
A: Haben Sie Fisch?
C: Nein, nur mittags.
A: Gut, ich bekomme eine Bockwurst.
C: Mit Brötchen oder mit Kartoffelsalat?
A: Mit Kartoffelsalat! Und meine Frau bekommt auch eine Bockwurst.
B: Aber mit Brötchen, bitte! Und eine Limo.
A: Und ich bekomme ein Bier.
C: Suppe?
B: Nein, danke.
C: Gut, eine Bockwurst mit Kartoffelsalat, eine mit Brötchen, ein Bier und eine Limo.

	DM
– Fräulein!	
– Ja, bitte? Was darf es sein?	
– Ich bekomme	Fisch 3,—
– Mit .....?	Fischfilet 4,10
– Ja, mit ..... (Nein, danke.)	Kieler Sprotten 3,—
	Bockwurst 2,10
*	Kartoffelsalat 1,—
– Fräulein!	Erbsensuppe 1,—
– Ja, bitte?	Bier 1,—
– Was macht das zusammen?	Salat 1,—
– Das macht	Brötchen mit Butter 1,—
– Hier sind ..... Mark	Limonade 1,—
– Danke!	

17

Beim Einkaufen

Dienstagvormittag. Frau Busch geht
einkaufen.
– Guten Morgen!
– Guten Morgen, Frau Busch!
  Bitte schön? Was darf es sein?
– Ich möchte ein Pfund Tomaten,
  eine Gurke, ... und ein Kilo Äpfel,
  ... ein Pfund Kaffee, ... ein Pfund
  Würfelzucker, ... zwei Dosen Milch...

– Brauchen Sie sonst noch etwas?
– Ja, noch ein Päckchen Salz, ...
  sechs Eier und ... eine Tafel
  Nußschokolade.
– Ist das alles?
– Ja, danke, das ist alles.
– Danke!

1 Pfund Tomaten	–,95
1 Gurke	–,75
1 Kilo Äpfel	1,30
1 Pfund Kaffee	8,35
1 Pfund Würfelzucker	1,15
2 Dosen Milch	–,98
1 Päckchen Salz	–,45
6 Eier	1,40
1 Tafel Schokolade	–,57
Das macht zusammen	15,90

- Hier sind sechzehn Mark.
- Und zehn Pfennig zurück.
  Vielen Dank!
- Auf Wiedersehen!
- Auf Wiedersehen, Frau Busch!

- Das Geschäft hier ist nicht so teuer.
  Ich kaufe immer hier. Aber mein Geld
  ist trotzdem immer schnell alle.
  Man kriegt kaum noch was fürs Geld.
  Finden Sie nicht auch?

A

1. *Hier ist ein Apfel. – Und da sind 5 Äpfel.*
2. Hier ist eine Tomate. – ..... 10 ... 3. Hier ist ein Ei. – ..... 6 ...
4. Hier ist eine Gurke. – ..... 2 ... 5. Hier ist eine Dose Milch. – .....
4 ... ...

B

1. *Hier ist ein Pfund Äpfel. – Und da sind 2 Pfund Äpfel.*
2. Hier ist ein Kilo Tomaten. – ..... 4 ... ... 3. Hier ist ein Pfund Kaffee. –
..... 10 ... ... 4. Hier ist eine Mark. – ..... 50 ... 5. Hier ist ein Pfen-
nig. – ..... 15 ...

C die ...

1. *Sie haben hier Äpfel. Sind die teuer? – Nein, die Äpfel sind nicht teuer.*
2. Tomaten; 3. Eier; 4. Gurken; 5. Brötchen; 6. Fische; 7. Kieler
Sprotten.

D ich / er / sie möchte ...   wir / Sie möchten ...

1. *Möchten Sie Äpfel? (zwei Kilo) – Ja, ich möchte zwei Kilo Äpfel.*
2. ... Frau Busch Tomaten? (drei Pfund) **3.** ... Herr Sand Nußschokolade? (vier Tafeln) **4.** ... Sie Milch? (zwei Dosen) **5.** ... die Frau Kaffee? (ein Pfund)

E

1. *Was möchten Sie? (der Apfel) – Ich möchte die Äpfel da.*
2. die Tomate; **3.** die Gurke; **4.** das Ei; **5.** der Fisch; **6.** das Brötchen; **7.** die Tafel Schokolade.

F

1. *Frau Busch möchte ein Pfund Kaffee. Was braucht sie noch?*
(Zucker) – Sie braucht noch Zucker.
2. Sie möchten Tomaten. Was brauchen Sie noch? (Salz) **3.** Peter möchte ein Brötchen. Was braucht er noch? (Butter) **4.** Ich möchte Kieler Sprotten. Was brauche ich noch? (Salat) **5.** Wir möchten Fischfilet. Was brauchen wir noch? (Kartoffelsalat)

G

1. *Was kaufen Sie? (ein Pfund Kaffee) – Ich kaufe ein Pfund Kaffee.*
2. Was kauft Frau Busch? (ein Kilo Äpfel) **3.** Was kauft Fräulein Busch? (eine Tafel Schokolade) **4.** Was kaufen wir? (ein Pfund Fisch) **5.** Was kauft Herr Sand? (ein Pfund Butter) **6.** Was kaufen Sie? (ein Kilo Tomaten)

H nicht

1. *Ist Helga verheiratet? – Nein, sie ist nicht verheiratet.*
2. Ist die Milch gut? **3.** Ist Herr Busch zufrieden? **4.** Ist Klaus zu Hause? **5.** Gehen Sie einkaufen? **6.** Geht Frau Busch essen? **7.** Geht Peter heute arbeiten? **8.** Gehen wir heute in die ‚Nordsee'? **9.** Arbeitet Otto bei Foto-Wagner? **10.** Arbeitet Fräulein Busch bei Müller & Co.?

I

1. *Brauchen Sie noch Tomaten? – Nein, Tomaten brauche ich heute nicht.*
2. Braucht Frau Busch noch Kaffee? **3.** Brauchen wir noch Butter?
4. Brauchen Sie noch Salz?

J

13	14	15	16	17	18	19
dreizehn	vier-	fünf-	**sech-**	**sieb-**	acht-	neun-

20	21		22	23	24	25	26	27	28	29
zwanzig	ein**und**zwanzig		zwei-	drei-	....					

30	31	40	50	60	70
dreißig	ein-	..... vier**zig**	fünf**zig**	sech-	sieb-

80	90	100		101
acht-	neun-	hundert (**ein**hundert)		hundert**eins** .....

200	1000
zweihundert	tausend (**ein**tausend)

DM 3,15: drei Mark fünfzehn   **DM -,32:** zweiunddreißig Pfennig

1. DM 25,80; **2.** DM 66,75; **3.** DM 97,85; **4.** DM 105,62; **5.** DM 271,30;
6. DM 2355,40; **7.** DM -,63; **8.** DM -,55; **9.** DM -,37; **10.** DM -,05.

K   **1 kg:** 1 Kilogramm   1 ℔: 1 Pfund   1 **Stck.:** 1 Stück

– Was darf es sein?	Äpfel	1 kg 1,20
– Ich möchte	Tomaten	1 ℔ -,95
– Ist das alles? (Brauchen Sie sonst	Gurken	1 Stck. -,75
noch etwas?)	Kaffee	1 ℔ 8,35
– Ja, das ist alles. (Ja, ich möchte	Zucker	1 ℔ 1,15
noch.....)	Milch	1 Dose -,49
(Nein, danke.)	Salz	1 Päckchen -,45
– Das macht zusammen	Eier	1 Stck. -,22
	Schokolade	1 Tafel ,57

5

Feierabend

Helga Busch und Peter Sand arbeiten
den ganzen Tag zusammen im Labor.
Jetzt haben sie Feierabend und gehen
nach Hause.

– Ich gehe heute abend ins Kino.
  Kommen Sie mit? Oder haben Sie
  schon etwas vor?
– Ja. Es tut mir leid, aber ich habe
  keine Zeit.
– Und morgen? Geht es da?
– Leider auch nicht. Heute und morgen
  muß ich in die VHS*.
– Wohin? In die VHS?
– Ja, in die Volkshochschule.
– Ach so! Besuchen Sie dort Kurse?
– Ja. Ich lerne Französisch und mache
  Gymnastik.

*) fau–ha–es

– Haben Sie dann am Freitag Zeit?
– Übermorgen? Auch nicht. Da gehe ich
in die Übungsstunde für
Maschineschreiben.

– Dann sind Sie ja fast die ganze Woche
besetzt. Und Sonnabend?
– Sonnabend? Nein, da geht es auch nicht.
Da kommt mein Bruder aus Hamburg.
– Wie lange bleibt er denn?
– Nur kurz. Er kommt nur übers
Wochenende nach Hause.
Montag früh muß er wieder zurück.
– Na, dann vielleicht nächste Woche?
– Vielleicht.

A die ... / **sie**

1. *Sind die Äpfel gut? – Ja, sie sind gut.*
2. Sind die Kollegen im Labor? 3. Gehen Helga und Peter nächste Woche
ins Kino? 4. Sind die Tomaten teuer?

B

1. *Haben Sie Geld dabei? – Ja, ich habe Geld dabei.*
2. Hat Herr Busch ein Familienfoto dabei? – Ja, ... 3. Haben Sie morgen Zeit? – Ja, ... 4. Muß Klaus Montag nach Hamburg zurück? – Ja, ... 5. Hat Frau Busch die ganze Woche zu Hause zu tun? – Ja, ... 6. Wir gehen ins Kino. Kommt Helga mit? – Ja, ... 7. Hat Peter heute abend etwas vor? – Ja, ... Er geht ins Kino.

C Wohin ...?

1. *Wohin gehen Sie heute morgen? (einkaufen) – Ich gehe heute morgen einkaufen.*
2. Wohin gehen Helga und Peter mittags? (essen) 3. Wohin geht Peter heute abend? (ins Kino) 4. Wohin geht Helga übermorgen? (in die Gymnastikstunde) 5. Wohin geht Herr Busch abends? (nach Hause) 6. Wohin geht er morgen früh? (arbeiten) 7. Wohin gehen wir heute mittag? (in die ‚Nordsee') 8. Wohin müssen Sie morgen abend? (in die Französischstunde)

D ich / er / es / sie muß ...   wir / Sie / sie müssen ...

1. *Muß Fräulein Busch morgen in die Französischstunde? – Ja, sie muß morgen in die Französischstunde.*
2. Müssen Helga und Peter morgen ins Labor? 3. Müssen Sie heute in die Gymnastikstunde? 4. Müssen wir jetzt nach Hause? 5. Muß Klaus übermorgen nach Hamburg zurück?

E kein ... / keine ...

1. *Haben Sie Bier? – Es tut mir leid, ich habe kein Bier.*
2. Milch? 3. Limo? 4. Schokolade? 5. Tomaten? 6. Brötchen? 7. Eier? 8. Äpfel?

9. *Haben Sie Geld dabei? – Nein, ich habe kein Geld dabei.*
10. Schokolade? **11.** Äpfel? **12.** ein Brötchen? **13.** ein Foto?

14. *Haben Sie morgen Zeit? – Nein, morgen habe ich keine Zeit.*
15. Haben wir übermorgen Gymnastik? **16.** Hat Helga heute Französisch? **17.** Habe ich heute abend Maschineschreiben?

F ins / in die / nach

1. *Müssen wir morgen in die Schule? – Nein, morgen müssen wir nicht in die Schule.*
2. Geht Helga heute ins Kino? **3.** Muß Fräulein Busch sonnabends ins Labor? **4.** Gehen Sie abends in die Gymnastikstunde? **5.** Geht Herr Busch mittags nach Hause? **6.** Muß Klaus übermorgen nach Hamburg zurück?

G wie lange ...?

1. *Wie lange bleibt Klaus zu Hause? (bis Montag früh) – Er bleibt bis Montag früh zu Hause.*
2. Wie lange arbeitet Herr Busch? (8 Stunden) – Er ..... **3.** Wie lange sind Sie hier? (übers Wochenende) – Ich ..... **4.** Wie lange arbeiten Helga und Peter noch im Labor? (bis 4) – Sie ..... **5.** Wie lange arbeiten sie heute? (bis 5) – Heute ..... **6.** Wie lange bleiben Sie hier? (den ganzen Tag) – Wir ..... **7.** Wie lange sind Herr und Frau Busch in Hamburg? (die ganze Woche) – Sie ..... **8.** Wie lange haben Helga und Peter Mittagspause? (eine Stunde) – Sie .....

6 Beim Autohändler

Da ist Klaus Busch. Seine Eltern und seine Schwester kennen Sie ja schon. Klaus ist Student. Wie Sie wissen, studiert er in Hamburg Elektrotechnik. Das ist der Autohändler Max Fröhlich. Er verkauft Gebrauchtwagen.

Klaus möchte schon lange einen Wagen haben. Heute ist er wieder hier, denn ein Wagen interessiert ihn besonders. Klaus schaut den Wagen immer wieder von allen Seiten genau an,

dann fragt er den Autohändler: „Was kostet denn der?"

„Nur 1200. Aber tadellos instand. Aus erster Hand, den bekommen Sie nirgends so billig", antwortet der Händler.

„Ist er auch wirklich ganz in Ordnung?", fragt Klaus.

„Ja, natürlich. Sie können ja eine Probefahrt machen."

GEBRAUCHTWAGEN
DM 1200
ERSTE
HAND!

Klaus und der Händler steigen ein
und machen eine Probefahrt.
Klaus ist sehr zufrieden.

„Aber 1200 – das ist viel Geld",
sagt Klaus, „Tausend kann ich zahlen."

„Nun gut. Ich gebe ihn für 1100 her",
sagt der Händler.

„Na schön, dann nehme ich ihn."

Klaus unterschreibt den Kaufvertrag
und stellt einen Scheck über
1100 Mark aus.

„Danke sehr, Herr Busch. Und hier
ist Ihr Kraftfahrzeugbrief. Gehen Sie
zur Zulassungsstelle und erledigen Sie
alles, dann können Sie Ihren Wagen
abholen."

Klaus ist glücklich. Bleibt er es auch?

A sein ... / seine ...

1. *Das ist Klaus Busch. – Und wer ist das? – Das ist seine Schwester.*
2. *Das ist Max Fröhlich. – Und wer ist das? – Das ist sein Sohn.*
3. Das ist Herr Sand. – Und wer ist das? – ..... Kollegin Helga Busch.
4. Das ist Karl. – Und wer ist das? – ..... Frau. 5. Das ist Herr Busch.–
Und wer ist das? – ..... Familie. 6. Das ist Herr Fröhlich. – Und wer
ist das? – ..... Bruder.

B ihr … / ihre …

1. *Ist Frau Busch zu Hause? – Ja, und ihr Mann ist auch da.*
2. *Ist Frau Fröhlich zu Hause? – Ja, und ihre Tochter ist auch da.*
3. Ist Helga zu Hause? (Bruder) 4. Ist Fräulein Busch im Labor? (Kollege) 5. Ist Frau Busch hier? (Schwester)

C einen … / keinen …

1. *Haben Sie einen Sohn? – Nein, ich habe keinen Sohn.*
2. Bruder? 3. Wagen? 4. Kaufvertrag? 5. Scheck?

meinen … – Ihren

6. *Kennen Sie meinen Bruder? – Ja, ich kenne Ihren Bruder schon lange.*
7. Mann? 8. Sohn? 9. Werkmeister? 10. Autohändler?

seinen … / ihren …

11. *Kennen Sie Helga Busch? – Nein, aber ich kenne ihren Bruder.*
12. Frau Busch? (Sohn) 13. Karl Busch? (Sohn) 14. Max Fröhlich? (Bruder) 15. Inge Busch? (Mann)

D den … das … die …

1. *Verkaufen Sie den Wagen? – Nein, den verkaufe ich nicht.*
2. Kennen Sie den Werkmeister bei Müller & Co.? 3. Unterschreiben Sie jetzt den Kaufvertrag? 4. Nehmen Sie den Scheck? 5. Möchten Sie die Schokolade? 6. Bekommen Sie das Bier? 7. Kennen Sie die Frau? 8. Nehmen Sie die Tomaten?

E den ... / ihn

1. *Unterschreiben Sie den Kaufvertrag? – Ja, ich unterschreibe ihn morgen.*
2. Kauft Klaus den Wagen? 3. Bekomme ich den Kraftfahrzeug-brief? 4. Holt Klaus den Wagen ab? 5. Brauchen Sie den Wagen?
6. Fragen Sie den Werkmeister?

F ich / er / es / sie kann ...   wir / Sie / sie können ...

1. *Gehen Sie heute abend ins Kino? – Nein, ich kann heute abend leider nicht ins Kino gehen.*
2. Kommt Helga morgen? 3. Kommen Sie heute in die Gymnastikstunde mit? 4. Holt Klaus heute seinen Wagen ab? 5. Geben Sie den Wagen für 1000 Mark her?

6. *Kann Helga morgen zu Hause bleiben? – Ja, natürlich kann sie morgen zu Hause bleiben.*
7. Kann ich den Wagen anschauen? 8. Kann mein Sohn seinen Wagen morgen abholen? 9. Können wir jetzt eine Probefahrt machen? 10. Können meine Kollegen schon in Ihr Auto einsteigen? 11. Kann ich heute Ihren Wagen haben?

G

1. *Möchte Klaus einen Wagen haben? – Ja, er möchte einen Wagen haben.*
2. Möchten Sie einen Wagen kaufen? 3. Kann ich den Wagen einmal anschauen? 4. Möchten Sie eine Probefahrt machen? 5. Muß ich den Kaufvertrag unterschreiben? 6. Kann ich einen Scheck ausstellen?
7. Möchte Inge einen Französischkurs besuchen? 8. Kann ich hier Französisch lernen? 9. Muß Frau Busch heute einkaufen gehen?

Klaus ruft zu Hause an

Eine Telefonzelle. Klaus ist am Apparat.
- Tag, Mutter! Wie geht's?
- Danke. Du rufst an? Was ist?
  Du kommst doch hoffentlich am
  Sonnabend?
- Nein. Ich kann nicht. Ich habe
  endlich ein Zimmer im Studentenheim
  in Aussicht und kann wahrscheinlich
  schon am Wochenende umziehen.

- Das ist sehr schön. Wann kommst
  du dann?
- Vielleicht in acht Tagen. Ich
  weiß noch nicht.
- Die Semesterferien beginnen doch
  auch bald. Kommst du dann wieder
  nach Hause?
- Das kann ich auch noch nicht
  bestimmt sagen. Vielleicht gehe ich
  nach England. Vielleicht auch nicht.
  Auf jeden Fall schreibe ich
  rechtzeitig. Aber wir müssen jetzt
  Schluß machen.

– Schreibst du mal wieder?

– Bestimmt. Auf Wiederhören, Mutter!

– Auf Wiedersehen, Klaus!

Klaus hängt den Hörer ein und verläßt die Telefonzelle.

– Am liebsten möchte mich meine Mutter immer zu Hause haben.

A **du** kommst ...   **du** schreibst ...
   du möchtest ...   **du** arbeitest ...

Wann schreibst **du** mal wieder, Klaus? – **Ich** schreibe bald mal.
Arbeitest **du** noch bei Foto-Wagner, Helga? – Ja, **ich** arbeite noch da.

---

1. *Ich studiere Elektrotechnik. Studierst du auch Elektrotechnik?*
2. Ich besuche die Volkshochschule. .....? **3.** Ich arbeite bei Müller & Co. .....? **4.** Ich gehe nach Hause. .....? **5.** Ich bleibe morgen zu Hause. .....? **6.** Ich kenne die Familie Busch. .....? **7.** Ich gehe heute abend ins Kino. .....? **8.** Ich rufe den Werkmeister Busch an. .....? **9.** Ich schreibe heute nach Hause. .....?

10. *Ich möchte ein Bier. Möchtest du auch ein Bier?*
11. einen Kaffee; **12.** eine Suppe; **13.** einen Apfel; **14.** eine Tafel Schokolade; **15.** ein Zimmer im Studentenheim.

B du mußt ... du kannst ...

1. *Ich bleibe heute nicht zu Hause, aber du kannst natürlich zu Hause bleiben.*
2. Ich gehe heute abend nicht ins Kino, aber du ..... 3. Ich mache keine Probefahrt, aber du ..... 4. Ich kaufe den Wagen nicht, aber du .....
5. Ich rufe den Werkmeister Busch nicht an, aber du .....

6. *Schreibst du heute nicht nach Hause? Du mußt heute auf jeden Fall nach Hause schreiben.*
7. Rufst du Helga jetzt nicht an? .... 8. Holst du heute den Wagen nicht ab? .... 9. Ziehst du heute nicht ins Studentenheim um? ....
10. Unterschreibst du den Kaufvertrag nicht? ....

C du bist ... du hast ...

1. *Bist du Student? – Ja, ich bin Student.*
2. ..... morgen zu Hause? 3. ..... heute nachmittag im Labor? 4. ..... zufrieden? 5. ..... verheiratet? 6. ..... glücklich?

7. *Hast du Geld? – Nein, ich habe kein Geld.*
8. ..... einen Scheck? 9. ..... einen Wagen? 10. ..... einen Bruder?
11. ..... morgen Zeit? 12. ..... Appetit auf Fisch? 13. ..... Hunger?
14. ..... heute abend Gymnastik? 15. ..... ein Zimmer im Studentenheim in Aussicht?

D mich

1. *Ich kenne Frau Busch schon lange, aber sie kennt mich wahrscheinlich nicht.*
2. Peter Sand; 3. den Werkmeister Busch; 4. Helga; 5. den Autohändler Fröhlich.

6. *Kann ich Sie morgen anrufen? – Ja, rufen Sie mich morgen an!*
7. am Sonnabend; 8. in acht Tagen; 9. zu Hause; 10. im Studentenheim;
11. heute bei Müller & Co.

12. *Kann ich Sie zu Hause abholen? – Ja, Sie können mich zu Hause abholen.*
13. im Studentenheim; **14.** beim Autohändler; **15.** in Hamburg; **16.** morgen bei Foto-Wagner.

$\boxed{\text{E}}$ *mich, ihn, es, sie, Sie*

1. *Kennen Sie Frau Busch? – Ich glaube, ich kenne sie.*
2. Kennt Sie Herr Busch? – Ich glaube, er ..... **3.** Kenne ich die Familie Busch? – Ich glaube, Sie ..... **4.** Kennen Sie mich? – Ich glaube, ich ..... **5.** Kennt Helga den Autohändler Fröhlich? – Ich glaube, sie ..... **6.** Kennt Ihr Bruder meine Schwester? – Ich glaube, er ..... **7.** Kennen Sie das Studentenheim in Hamburg? – Ich glaube, wir ..... **8.** Kennen Ihre Eltern meine Mutter? – Ich glaube, sie ..... **9.** Kennt Herr Sand den Werkmeister Busch? – Ich glaube, er ..... **10.** Kennen Sie meinen Wagen? – Ich glaube, ich ..... **11.** Kennt Klaus mein Labor? – Ich glaube, er ..... **12.** Kenne ich Ihre Eltern? – Ich glaube, Sie .....

13. *Rufen Sie mich an? – Ja, ich rufe Sie morgen an.*
14. Klaus – den Autohändler; **15.** Herr Busch – seine Frau; **16.** Peter – meine Eltern; **17.** Helga – Sie.

18. *Holt Peter Helga heute abend ab? – Vielleicht holt er sie ab.*
19. Frau Busch – ihren Mann; **20.** Klaus – seinen Wagen; **21.** Sie – mich; **22.** Peter – seine Eltern.

F ich / er / sie **weiß** ...   du **weißt** ...
wir / Sie / sie **wissen** ...

1. Heute kommt Klaus nach Hause. *Wissen Sie das schon? – Ja, das weiß ich schon. (Nein, das weiß ich noch nicht.)*
2. Weißt du das schon? **3.** Wissen seine Kollegen das schon? **4.** Weiß Helga das schon? **5.** Wissen seine Eltern das schon? **6.** Weiß Peter das schon?

Im Werk

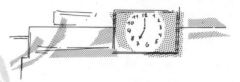

Um Punkt 7 Uhr beginnt bei
Müller & Co. die Arbeit.
Werkmeister Busch geht durch die
Werkshalle und kontrolliert den
Arbeitsbeginn.

Dann geht er in sein
Werksbüro und füllt ein paar Formulare
aus. Danach geht er wieder in die
Werkshalle zurück. Alle Maschinen
arbeiten. Schließlich fragt er einen
Arbeiter:

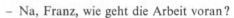

– Na, Franz, wie geht die Arbeit voran?
– Schlecht. Paul ist nicht da,
   und allein ...
– Ja, richtig, der Unfall gestern
   vor Feierabend. Du brauchst
   noch einen Mann.
– Klar, allein schaffe ich das hier nicht.

- Du bekommst deinen Mann sofort.
  Ich schicke den Hassan.
- Wen? Den Hassan? ... Ah ja, der,
  der ist o.k.
- Na also. Du kennst ihn ja.
- Klar, Meister. Der ist doch schon
  lange hier.
- Ja, fast ein Jahr.
- Mit dem arbeite ich gern zusammen.
  Den kannst du ruhig schicken.

Werkmeister Busch geht in sein Büro
zurück und telefoniert. Er spricht
mit dem Werkmeister Krüger
aus Halle eins.

- ... Busch. Du, Krüger. Wir brauchen
  unbedingt noch einen Mann.
  Kannst du den Hassan entbehren?
  Schick ihn doch bitte her,
  in Halle drei. ... Ja, ich brauche ihn
  unbedingt.

A Wieviel Uhr ist es? – Es ist 1 Uhr (ein Uhr)
　　　　　　　　　　Es ist 7.20 Uhr (sieben Uhr zwanzig)

---

1. *Wieviel Uhr ist es jetzt? – Jetzt ist es 8 Uhr.*
2. 8.35 Uhr; **3.** 9.45 Uhr; **4.** 10.55 Uhr; **5.** 1.12 Uhr; **6.** 19.32 Uhr.

7. *Um wieviel Uhr beginnt die Arbeit? – Sie beginnt um 7 Uhr.*
8. das Kino? (20.30 Uhr) **9.** die Gymnastikstunde? (19.15 Uhr) **10.** der
Feierabend? (17 Uhr) **11.** die Französischstunde? (18.30 Uhr) **12.** die
Volkshochschule? (Punkt 20 Uhr)

B dein

1. *Kennst du meine Schwester schon? – Ja, natürlich, deine Schwester kenne ich schon lange.*
2. Eltern? 3. Mutter? 4. Sohn? 5. Frau? 6. Tochter? 7. Bruder?

C wen ...?

1. *Ich möchte meine Eltern anrufen. – Wen möchten Sie anrufen? Ihre Eltern?*
2. Fräulein Busch; 3. den Werkmeister Krüger; 4. meinen Bruder; 5. meine Schwester.

6. *Wen ruft Klaus aus Hamburg an? (seine Mutter) – Er ruft seine Mutter an.*
7. Wen kontrolliert der Werkmeister Busch? (die Arbeiter) 8. Wen schickt der Werkmeister Krüger in die Halle drei? (den Hassan) 9. Wen schickt der Werkmeister her? (einen Arbeiter)

D mit dem / einem / meinem

1. *Was macht Klaus? – Er telefoniert mit dem Autohändler.*
2. Hassan? – der Meister; 3. dein Kollege? – das Studentenheim; 4. der Arbeiter? – das Werksbüro; 5. Werkmeister Busch? – ein Arbeiter; 6. Frau Fröhlich? – ihr Mann; 7. Helga? – ihr Bruder; 8. Sie? – mein Sohn; 9. du? – dein Werkmeister; 10. der Autohändler? – sein Büro.

E ich spreche ...   du **sprichst** ...
wir sprechen ...   Sie sprechen ...

er / sie **spricht** ...
sie sprechen ...

1. *Sprechen Sie Französisch, Herr Busch? – Nein, ich spreche nicht Französisch.*

2. Spricht Helga Französisch? **3.** Sprechen wir hier Französisch? **4.** Sprechen Ihre Kollegen Französisch? **5.** Sprichst du Französisch, Klaus? **6.** Spricht der Arbeiter Französisch?

7. *Herr Fröhlich telefoniert schon so lange. Spricht er mit seinem Bruder?* **8.** Frau Busch – ihr Mann; **9.** Klaus – der Autohändler; **10.** Hassan – sein Werkmeister; **11.** Sie – Ihr Sohn; **12.** du – dein Meister.

F Ich schicke Hassan jetzt in Halle drei. – Ja gut, **schick** ihn in Halle drei!

1. *Kann ich jetzt den Hassan in Halle drei schicken? – Ja gut, schick ihn in Halle drei!*
2. Kann ich jetzt nach Hause gehen? **3.** Kann ich zu Hause bleiben?
4. Kann ich jetzt den Kaufvertrag unterschreiben? **5.** Kann ich jetzt den Wagen anschauen? **6.** Kann ich jetzt hier Schluß machen? **7.** Kann ich jetzt das Formular ausfüllen? **8.** Kann ich jetzt ins Auto einsteigen? **9.** Kann ich jetzt den Wagen abholen? **10.** Kann ich jetzt meine Mutter anrufen? **11.** Kann ich mitkommen?

G *wen? was?*

---

1. *Werkmeister Krüger schickt Hassan in Halle 3. – Wen schickt er in Halle 3? Hassan?*
2. *Klaus unterschreibt den Kaufvertrag. – Was unterschreibt Klaus? Den Kaufvertrag?*
3. Klaus schaut den Wagen genau an. – ..... schaut er genau an? .....?
4. Helga ruft ihre Mutter an. – ..... ruft Helga an? .....? **5.** Ich fülle das Formular aus. – ..... füllen Sie aus? .....? **6.** Klaus kann seinen Wagen nicht entbehren. – ..... kann Klaus nicht entbehren? .....? **7.** Peter holt heute seine Kollegin ab. – ..... holt Peter heute ab? .....? **8.** Der Werkmeister Busch kontrolliert morgens um 7 Uhr die Arbeiter. – ..... kontrolliert er morgens um 7 Uhr? .....?

Liebe Eltern!

Wie Ihr wißt, beginnen in vierzehn
Tagen die Semesterferien. Diesmal
komme ich auch wieder nach Hause.
In Stuttgart finde ich sicher einen
Ferienjob, so wie letztes Jahr. Ich komme

mit dem Wagen. Hoffentlich klappt
alles. Ich bringe Roberto, einen
Kollegen aus Spanien, mit. Er kann
nicht nach Hause fahren. Er will in
Stuttgart auch einen Job suchen.
Vielleicht kann Vater ihm helfen.
Roberto kann doch sicher bei uns
wohnen.
Also bis bald.

Herzliche Grüße
Euer Klaus

A ihr fahrt ...   ihr schreibt ...
ihr arbeitet ...   ihr möchtet ...

1. *Wir schreiben heute nach Hause. Schreibt ihr auch bald mal wieder nach Hause?*
2. Wir fahren übermorgen nach Stuttgart. .....? 3. Wir arbeiten immer im Labor. .....? 4. Wir möchten heute ins Kino gehen. .....?

B ihr könnt ...   ihr müßt ...

1. *Wir können maschineschreiben. Könnt ihr das auch?*
2. Wir können Französisch sprechen. .....? 3. Wir können gut zusammenarbeiten. .....? 4. Wir müssen immer am Sonnabend arbeiten. .....?
5. Wir müssen morgen umziehen. .....?

C ihr **seid** ...   ihr **habt** ...

1. *Wir sind Arbeiter. Ihr seid doch sicher auch Arbeiter?*
2. Wir sind Kollegen. .... ? **3.** Wir sind Studenten. .... ? **4.** Wir sind morgen in Stuttgart. .... ? **5.** Wir sind zufrieden. .... ? **6.** Wir sind verheiratet. .... ?
7. Wir sind glücklich. .... ?

8. *Habt ihr schon eine Arbeit? – Nein, wir haben noch keine Arbeit.*
9. ..... Arbeitsvertrag? **10.** ..... ein Zimmer im Studentenheim?
11. ..... Feierabend? **12.** ..... Semesterferien? **13.** ..... Hunger?

D ich **will** ...   du **willst** ...   er / es / sie **will** ...
    wir wollen ...   ihr wollt ...   Sie wollen ...   sie wollen ...

1. *Wollen Sie hier Arbeit suchen? – Ja, ich will hier Arbeit suchen.*
2. ... du nach Stuttgart fahren? **3.** ... ihr mit meinem Vater sprechen?
4. ... Helga morgen zu Hause bleiben? **5.** ... Klaus Roberto mitbringen?
6. ... wir an die Eltern schreiben? **7.** ... die Arbeiter den Arbeitsvertrag unterschreiben?

8. *Willst du hier arbeiten? – Ja, ich möchte gern hier arbeiten.*
9. ... ihr hier wohnen? **10.** ... Sie morgen zu Hause bleiben? **11.** ... Klaus seinen Vater anrufen? **12.** ... Roberto ins Studentenheim umziehen? **13.** ... deine Kollegen ins Kino mitkommen?

E der Kollege, -n; der Student, -en: **den / dem** Kollegen, Studenten, der Herr, -en: **den / dem** Herrn

1. *Wen suchen Sie? – Ich suche Herrn Fröhlich.*
2. Wen bringen Sie mit? (mein Kollege) **3.** Wen wollen Sie herschicken? (ein Student) **4.** Wen wollen Sie fragen? (Herr Busch) **5.** Wen holen Sie ab? (Ihr Kollege)

6. *Wer ist das? – Kennen Sie denn Herrn Krüger nicht?*
7. Herr Fröhlich; **8.** der Student; **9.** mein Kollege; **10.** Herr Busch.

11. *Kommen Sie allein? – Nein, ich komme mit Herrn Busch.*
12. Gehen Sie allein nach Hause? (mein Kollege) **13.** Wohnen Sie allein im Zimmer? (ein Student) **14.** Arbeiten Sie allein im Labor? (Herr Sand)

F dem ... / **ihm**

ich helfe ...   du **hilfst** ...   er / es / sie **hilft** ...

1. *Helfen Sie dem Mann? – Natürlich helfe ich ihm gern.*
2. Hilfst du meinem Bruder? **3.** Helfen Ihre Eltern meinem Kollegen?
4. Helfen wir dem Arbeiter? **5.** Hilft Klaus dem Roberto?

G euer / **eure**

1. *Bekommen wir denn kein Bier? – Da ist doch euer Bier!*
2. Suppe? **3.** Kaffee? **4.** Brötchen? **5.** Äpfel? **6.** Schokolade?

H wir / **uns**

1. *Wir gehen ins Kino. Wollen Sie auch mit uns gehen?*
2. Wir fahren nach Stuttgart. .....? **3.** Wir gehen essen. .....? **4.** Wir arbeiten zusammen. .....?

I bei

1. *Wir haben Telefon. Sie können ruhig bei uns telefonieren.*
2. Wir haben noch viel Arbeit. ..... arbeiten. **3.** Wir haben noch ein Zimmer. ..... wohnen. **4.** Wir haben noch viel Zeit. ..... bleiben.

10

Hassan geht zur Post

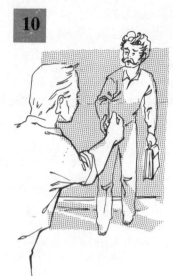

Am Sonnabend trifft Hassan den Erich, seinen Arbeitskollegen, auf der Straße.

– Wohin so eilig, Hassan?

– Zur Post.

– Ich komme mit. Ich brauche auch ein paar Marken.

– Ich hole keine Briefmarken. Ich bringe meinen Lohn zur Post.

– Schickst du den jetzt nach Hause?

– Nur einen Teil, den Rest zahle ich auf mein Postsparbuch ein. Ein bißchen Taschengeld behalte ich natürlich.

– Machen das alle Gastarbeiter so?

– Ich glaube ja, fast alle.

Auf der Post

– Ich möchte 200 Mark auf mein Postsparbuch einzahlen.

Hassan gibt sein Postsparbuch, den Einzahlungsschein und das Geld hin.

– Hier habe ich noch eine Auslandspostanweisung.

Hassan hat das Formular richtig ausgefüllt. Er zahlt das Geld ein.

Dann kommt Erich dran.
– Bitte, geben Sie mir fünf Marken zu vierzig und drei zu siebzig!

A ich / **mir**

1. *Kann ich bei Familie Busch wohnen? – Sie können auch bei mir wohnen.*
2. Kann Klaus bei Herrn Fröhlich telefonieren? – Er ..... **3.** Kann ich bei Helga bleiben? – Du ..... **4.** Kann Roberto bei Müller & Co. arbeiten? – Er ..... **5.** Kann ich mit Herrn Busch sprechen? – Sie ..... **6.** Können wir mit Peter nach Hause fahren? – Ihr .....

7. *Immer hilfst du nur Klaus. Wann hilfst du mir mal?*
8. Immer helfen Sie nur Helga. .....? **9.** Immer hilft Herr Busch nur Roberto. .....? **10.** Immer helfen Ihre Kollegen nur Herrn Fröhlich. .....?

B ich treffe ...   du triffst ...   er / sie trifft ...

1. *Wen trifft Hassan auf der Straße? – Er trifft Erich auf der Straße.*
2. Wen trifft Frau Busch auf der Post? (ihr Mann) **3.** Wen treffen meine Kollegen im Werksbüro? (Hassan) **4.** Wen treffen wir im Werk? (Werkmeister Busch) **5.** Wen triffst du bei Foto-Wagner? (Peter Sand)

ich gebe ...   du gibst ...   er / sie gibt ...

6. *Wollen Sie mir das Geld geben? – Nein, ich gebe es Hassan.*
7. du – den Brief? (dein Vater) **8.** der Autohändler – den Kaufvertrag? (mein Bruder) **9.** Erich – die Briefmarken? (sein Kollege) **10.** Ihre Eltern

– das Zimmer? (ein Student) **11.** Klaus – den Scheck? (sein Autohändler)
12. Sie – die Fotos? (Helga)

13. *Was gibst du dem Hassan? – Ich gebe ihm 10 Mark.*
14. Was geben Sie dem Arbeiter? (sein Lohn) **15.** Was gebt ihr dem
Erich? (die Briefmarken) **16.** Was gibt Hassan dem Erich? (eine Post-
karte) **17.** Was gibt Helga ihrem Kollegen? (ein Brötchen) **18.** Was geben
die Eltern ihrem Sohn? (Taschengeld) **19.** Was geben wir dem Arbeiter?
(15 Mark)

20. *Gibst du dem Hassan das Geld? – Natürlich gebe ich es ihm.*
21. Geben Sie dem Arbeiter das Formular? **22.** Gibt Hassan dem Erich
die Briefmarken? **23.** Geben wir dem Klaus die Fotos? **24.** Geben Sie
Herrn Busch den Kaufvertrag? **25.** Gibt Klaus Herrn Fröhlich den
Scheck? **26.** Gebt ihr dem Arbeiter das Bier?

27. *Wann gebt ihr Klaus sein Taschengeld? – Wir geben es ihm morgen.*
28. Wann geben Sie dem Fotoreporter die Fotos? – ..... heute abend.
29. Wann gibst du dem Arbeiter das Geld? – ..... abends. **30.** Wann
geben wir dem Autohändler den Scheck? – ..... morgen. **31.** Wann gibst
du Erich die Briefmarken? – ..... heute mittag. **32.** Wann geben Ihre
Kollegen dem Arbeiter die Formulare? – ..... am Freitag.

| **C** | ich fahre ... | du fährst ... | er / sie fährt ... |

1. *Fährt Klaus morgen nach Stuttgart? – Nein, er fährt schon heute.*
2. ... Sie morgen nach England? **3.** ... Klaus und Roberto übermorgen
nach Stuttgart? **4.** ... Roberto morgen nach Hause? **5.** ... du am Sonn-
abend nach Hamburg?

| ich behalte ... | du behältst ... | er / sie behält ... |

6. *Schickt Hassan seinen Lohn nach Hause? – Ja, aber er behält natürlich
ein bißchen Taschengeld.*
7. Sie? **8.** du? **9.** ihr? **10.** die Gastarbeiter?

44

1. *Ich gehe zur Post und hole Briefmarken.*
2. Klaus geht zur Zulassungsstelle und ..... den Kraftfahrzeugbrief.
3. Herr Busch geht nach Hause und ..... den Kaufvertrag. **4.** Meine Kollegen gehen in die ‚Nordsee' und ..... Fischfilet. **5.** Helga und Peter gehen ins Labor und ..... die Fotos. **6.** Der Werkmeister Busch geht in die Werkshalle und ..... zwei Arbeiter. **7.** Ich gehe in mein Büro und ..... die Formulare.

E du gibst: **Gib** ...! du hilfst: **Hilf** ...!

1. *Ich habe keine Briefmarken. Gib mir bitte eine Briefmarke!*
2. Ich habe keine Postkarten. .....! **3.** Wir haben keine Formulare. .....!
4. Peter hat keine Brötchen. .....! **5.** Ich habe keine Einzahlungsscheine. .....!

6. *Klaus schafft die Arbeit nicht allein. Hilf ihm bitte!*
7. ich; **8.** wir; **9.** Erich.

F

1. *Geben Sie dem Arbeiter das Geld? – Nein, mein Kollege gibt es ihm.*
2. Geben Sie Erich die Briefmarken? – Nein, Hassan ..... **3.** Fahren Sie morgen nach Stuttgart? – Nein, Klaus ..... **4.** Behalten Sie Ihren Lohn hier? – Nein, aber Erich ..... **5.** Verlassen Sie Stuttgart morgen? – Nein, aber Roberto ..... **6.** Sprechen Sie Französisch? – Nein, aber Helga .....
7. Helfen Sie meinem Kollegen? – Nein, aber mein Bruder .....

11

Besuch im Krankenhaus

Der Arbeiter Paul Blum hatte letzte
Woche einen Arbeitsunfall. Jetzt
liegt er im Krankenhaus. Am
Sonntagnachmittag besucht Werkmeister
Busch seinen Arbeitskollegen
im Krankenhaus.

– Tag, Paul! Wie geht's dir denn?
  Was machst du denn für Sachen?

– Ach, Karl, du bist's, Tag! Oh,
  mir geht's schon besser. Ich hatte
  ja noch Glück. Die Ärzte hier
  kriegen mich schon wieder hin.

– Wie lange wird es wohl dauern?

– Na, ich denke, sechs bis acht Wochen
  wird es schon dauern. Aber das ist
  nicht das Schlimmste, mein Lohn ...

– Ach, der Lohnausfall? Keine Sorge!
  Du kriegst schon dein Geld.

– Na ja. Aber die Überstunden.
  Die zahlen sie doch nicht. Und unser
  Fernseher ist noch nicht bezahlt.
  Ich muß noch mindestens fünf Raten
  zahlen.

– Ich will sehen, was sich machen läßt.
  Ich spreche mal mit dem Chef.
– Willst du das für mich tun?
  Das ist aber nett.
– Ah, da kommt deine Frau. Da will ich
  nicht stören. Hier habe ich noch etwas
  für dich. Eine Flasche Wein.
  Der wird dir guttun. Ich gehe jetzt.
  Mach's gut. Und gute Besserung!
– Danke, Karl, und besuch mich mal
  wieder!
– Das mache ich, klar.

A	ich / er / es / sie **hatte** ...	du hattest ...
	wir / Sie / sie hatten ...	ihr hattet ...

1. *Hattest du gestern einen Unfall? – Ja, leider, aber ich hatte noch Glück.*
2. Sie? 3. ihr? 4. der Arbeiter? 5. deine Kollegen?

6. *Haben Sie heute Ihr Foto dabei? – Nein, aber gestern hatte ich es dabei.*
7. Hat Hassan seinen Lohn dabei? 8. Hast du dein Taschengeld dabei?
9. Habt ihr euer Postsparbuch dabei? 10. Haben Sie Ihren Wagen dabei?
11: Haben Ihre Kollegen den Kaufvertrag dabei?

B	ich werde ...	du **wirst** ...	er / es / sie **wird** ...
	wir werden ...	ihr werdet ... Sie werden ...	sie werden..

1. *Wie lange bleibt Klaus in England? – Er wird wahrscheinlich eine Woche in England bleiben.*
2. Sie – in Stuttgart? (zwei Tage) 3. Helga – im Labor? (eine Stunde)
4. Paul Blum – im Krankenhaus? (sechs Wochen) 5. die Arbeiter – im Werk? (drei Stunden) 6. du – bei Frau Busch? (nicht lange) 7. ihr – in Hamburg? (von Montag bis Mittwoch)

8. *Arbeitet Helga immer noch bei Foto-Wagner? – Ich glaube ja. Sie wird sicher noch bei Foto-Wagner arbeiten.*
9. Liegt Paul immer noch im Krankenhaus? 10. Wohnen Karl und Inge immer noch in Stuttgart? 11. Hat Klaus immer noch seinen Wagen? 12. Besuchen Ihre Kollegen immer noch den Französischkurs? 13. Schickt Hassan immer noch seinen Lohn nach Hause?

C du / **dir**

---

1. *Willst du mit mir kommen? – Ja, ich komme gern mit dir.*
2. Willst du mit mir ins Kino gehen? 3. Willst du bei mir wohnen?
4. Willst du bei mir bleiben?

5. *Kannst du mir bitte den Wein bringen? – Ich bringe ihn dir sofort.*
6. Kannst du mir bitte deinen Fotoapparat geben? 7. Kannst du mir bitte das Formular bringen? 8. Kannst du mir bitte mein Postsparbuch holen? 9. Kannst du mir bitte mein Taschengeld geben?

D

---

1. *Wie geht es dir? – Danke, mir geht es gut.*
2. ..... deinem Vater? (besser) 3. ..... dir? (nicht schlecht) 4. ..... deinem Bruder? (gut) 5. ..... dir? (wieder gut) 6. ..... deinem Sohn? (nicht schlecht)

7. *Hilfst du mir? – Natürlich helfe ich dir.*
8. Hilfst du meinem Kollegen? **9.** Tut dir der Wein gut? **10.** Tut deinem Vater der Wein gut?

E du / dich

1. *Kennst du mich? – Klar kenne ich dich.*
2. Kennt mich Herr Busch? **3.** Besuchst du mich morgen? **4.** Besucht mich Helga morgen? **5.** Holst du mich heute abend ab? **6.** Holt ihr mich heute abend ab? **7.** Rufst du mich am Sonntag an? **8.** Rufen mich deine Kollegen am Sonntag an?

F für

1. *Was kannst du für mich tun? – Ich kann nicht viel für dich tun.*
2. Herr Busch? **3.** Helga? **4.** meine Arbeitskollegen? **5.** ihr?

   für mich / uns / ihn / sie

6. *Ich muß noch zur Post. Oder können Sie das für mich tun?*
7. Hassan muß noch sein Geld einzahlen. Oder ...? **8.** Helga muß noch Fotos holen. Oder ...? **9.** Ich muß noch meinem Chef die Formulare bringen. Oder ...? **10.** Wir müssen noch den Wagen abholen. Oder ...?
11. Meine Kollegen müssen noch einkaufen gehen. Oder ...?

G unser / uns(e)re

1. *Ist das Ihr Fernseher? – Ja, das ist unser Fernseher.*
2. *Ist das Ihre Kollegin? – Ja, das ist unsere Kollegin.*
3. Ihr Wagen? **4.** Ihr Chef? **5.** Ihr Geld? **6.** Ihre Briefmarken? **7.** Ihr Zimmer? **8.** Ihre Sekretärin? **9.** Ihre Arbeitskollegen? **10.** Ihr Arzt?

12   Der Brief aus Leipzig

Als Karl Busch von der Arbeit
zurückkam, sagte seine Frau zu ihm:
„Karl, da liegt ein Brief auf dem Tisch,
von meiner Schwester aus Leipzig."
Karl Busch liest den Brief.

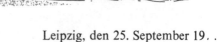

Leipzig, den 25. September 19. .

Liebe Inge, lieber Karl!

Dieses Jahr hatten wir Glück. Wir
bekamen einen Ferienplatz an der
Ostsee. Wir waren in Kühlungsborn.
Jetzt sind wir wieder zu Hause.

Als wir von Leipzig abfuhren,
regnete es. Wir fuhren mit dem Zug
über Berlin und Neubrandenburg.
Hinter Berlin wurde das Wetter etwas
besser, und als wir in Kühlungsborn
ankamen, schien die Sonne. Das Wetter
war sehr schön. Wir konnten oft
in der Ostsee baden. Das Wasser
war warm. Leider hatten wir auch
einige Regentage. Aber die Zeit wurde
uns nicht lang. Viele Kollegen von
Helmut waren auch da. Wir sprachen
dann über Sport, Kultur und Politik.
Unsere Ferien vergingen viel zu schnell,
und bald mußten wir wieder heimfahren.

Helmut geht wieder in den Betrieb, und ich arbeite auch wieder in der Fabrik. Die Kinder sind ja nicht mehr zu Hause. Hans ist zur Zeit bei der Volksarmee. Später will er Ingenieur werden. Hilde arbeitet wieder in der Chemiefabrik. Ihr Kleines bringt sie dort in den Kinderhort.

Wie geht es Euch? Schreibt uns mal wieder. Wo wart Ihr dieses Jahr im Urlaub?

Herzliche Grüße

Eure Ida und Euer Helmut

A ich / er / es / sie **war** ...   du warst ...
wir / Sie / sie   waren ...   ihr wart ...

---

1. *Dieses Jahr fahren wir nach Spanien. – Waren Sie schon mal da? – Ja, letztes Jahr waren wir auch schon mal da.*
2. Familie Busch; **3.** Herr Fröhlich; **4.** ich; **5.** meine Kinder; **6.** Frau Busch.

7. *Wo warst du gestern nachmittag? – Ich war im Büro.*
8. ihr? (in der Fabrik) **9.** Sie? (im Büro) **10.** Frau Busch? (zu Hause) **11.** Ihre Kollegen? (im Labor)

12. *Wo waren Sie letztes Jahr im Urlaub? – Ich war an der Ostsee.*
13. Helmut? (in Berlin) **14.** du? (in England) **15.** ihr? (an der Nordsee) **16.** deine Kinder? (in Spanien)

B als

1. *Wann war Helga im Labor? – Als ich bei Foto-Wagner war.*
2. Wann ... Ihr Chef in der Werkshalle? – ... ich im Büro war. 3. Wann ... die Kinder im Kinderhort? – ... Hilde in der Fabrik war. 4. Wann ... ihr an der Ostsee? – ... wir letztes Jahr im Urlaub waren. 5. Wann ... das Wetter besser? – ... wir hinter Berlin waren. 6. Wann ... das Wetter schön? – ... Helmut und Ida an der Ostsee waren.

C	ich komme ... / ich komme ... an / ich komme ... mit / ich bekomme
ich / er / es / sie **kam** ...	du kamst ...
wir / Sie / sie kamen ...	ihr kamt ...

1. *Wir kommen heute nur bis Berlin. – Wir kamen heute nur bis Berlin.*
2. Ich bekomme sofort ein Zimmer. 3. Helmut kommt auch mit. 4. Der Zug kommt um Punkt 12 Uhr in Berlin an. 5. Ihr kommt um 7 Uhr nach Hause. 6. Sie kommen heute morgen von Berlin.

ich fahre ... / ich fahre ... ab / ich fahre ... heim	
ich / er / es / sie **fuhr** ...	du fuhrst ...
wir / Sie / sie fuhren ...	ihr fuhrt ...

7. *Der Zug fährt um 9 Uhr ab. – Der Zug fuhr um 9 Uhr ab.*
8. Bis Berlin fährt der Zug 8 Stunden. 9. Wir fahren über Berlin an die Ostsee. 10. Helmut und ich fahren mit. 11. Ich fahre am Montag nach Hause. 12. Meine Kollegen fahren mit dem Zug heim. 13. Der Zug fährt um 13.15 Uhr von Hamburg ab.

D	ich konnte ...	ich mußte ...	ich wollte ...

1. *Ich wollte gestern abend ins Kino gehen. Aber ich konnte nicht, denn ich mußte noch zu Hause arbeiten.*
2. Helga; 3. meine Eltern; 4. du; 5. wir; 6. ihr.

E der ... / ihr

1. *Bringen Sie der Sekretärin Geld? – Ja, ich bringe ihr Geld.*
2. einen Brief? **3.** Formulare? **4.** einen Scheck?

einer ... / meiner ...

5. *Wollten Sie das Foto nicht mir geben? – Nein, ich gebe es meiner Mutter.*
6. meine Schwester; **7.** eine Kollegin; **8.** Ihre Frau; **9.** Ihre Tochter.

F euch

1. *Schreibt ihr uns? – Ja, wir schreiben euch.*
2. Helft ihr ...? **3.** Bringt ihr ... Wein? **4.** Gebt ihr ... Taschengeld?
5. Schreibt ihr ... eine Postkarte?

G Wo ...? – im / in der

1. *Wo ist Paul Blum jetzt? – Er ist im Krankenhaus.*
2. *Wo ist Karl Busch jetzt? – Er ist in der Fabrik.*
3. Helga? (Urlaub) **4.** Ida und Helmut? (Zug) **5.** Hassan? (Halle drei)
6. Ihre Sekretärin? (Büro) **7.** Klaus? (Zimmer) **8.** Max? (Volkshochschule) **9.** Inge? (Gymnastikstunde) **10.** Peter? (Labor)

Wohin ...? – in den / ins / in die

11. *Wohin geht Helmut? – Er geht in den Betrieb.*
12. *Wohin geht Peter? – Er geht ins Kino.*
13. *Wohin geht Ida? – Sie geht in die Fabrik.*
14. Peter und Helga? (Labor) **15.** Klaus? (Zimmer) **16.** Werkmeister Busch? (Betrieb) **17.** Inge? (Volkshochschule)

13 # Unterwegs nach Hause

Klaus ist mit seinem Wagen unterwegs
nach Stuttgart. Er fährt zu seinen Eltern,
Roberto fährt mit. Sie wollen die
Autobahn von Hamburg über
Frankfurt nach Stuttgart fahren.
Jetzt sind sie gerade kurz vor der
Autobahnauffahrt hinter Hamburg.

– Da vorne ist Polizei!
– Sicher wieder ein Unfall.
– Nein, kein Unfall. Nur Polizeikontrolle.

Sie fahren langsam an die Polizeikontrolle
heran. Ein Polizeibeamter sagt:
„Polizeikontrolle! Kann ich bitte
Ihre Papiere sehen?"

Klaus reicht dem Beamten seinen
Führerschein und den Kraftfahrzeugschein
aus dem Wagen. „Bitte!"
Der Beamte schaut die Papiere durch,
geht dann um den Wagen herum
und gibt Klaus die Papiere wieder
zurück.

– Danke! In Ordnung. Sie wissen,
  daß Sie nächsten Monat zum TÜV
  müssen?

– Ja, ja, ich weiß.

– Gut. Sie können weiterfahren.

Eine Weile später sagt Klaus zu Roberto:
„Daß ich bald zum TÜV muß, habe
ich natürlich eben erst erfahren.

A

1. *Peter ist jetzt bei der Bundeswehr. Wußten Sie das schon? – Nein, das habe ich eben erst erfahren.*
2. Klaus kommt mit Roberto nach Stuttgart. (Frau Busch?) **3.** Vor der Autobahnauffahrt sind oft Polizeikontrollen. (Klaus?) **4.** Sie müssen nächste Woche zum TÜV. (Sie?) **5.** Klaus bekommt ein Zimmer im Studentenheim. (sein Vater?) **6.** Paul Blum hatte gestern einen Arbeitsunfall. (du?) **7.** Paul liegt jetzt im Krankenhaus. (seine Arbeitskollegen?) **8.** Helmut und Ida waren im Urlaub an der Ostsee. (ihr?)

9. *Hast du schon dein Taschengeld? – Ja, ich habe es gestern schon bekommen.*
10. ihr – euren Lohn? **11.** Sie – meinen Brief? **12.** Sie – Ihre Fotos? **13.** ihr – euer Geld?

14. *Sind Klaus und Roberto noch auf der Autobahn? – Nein, sie haben sie schon verlassen.*
15. Paul Blum – im Krankenhaus? **16.** Fräulein Müller – im Büro? **17.** die Arbeiter – im Werk? **18.** Frau Busch – in der Telefonzelle? **19.** die Studenten – im Studentenheim?

20. *Hier sind die Formulare! Ein Formular habe ich behalten.*
21. neun Flaschen Wein! (wir) **22.** Brötchen! (Helga) **23.** die Äpfel! (das Kind) **24.** die Briefmarken! (der Chef)

B

1. *Auf der Autobahn war ein Unfall. Wußten Sie das schon? – Ja, ich weiß, daß auf der Autobahn ein Unfall war.*
2. Peter ist jetzt bei der Bundeswehr. Wußtest du das schon? **3.** Helmut und Ida waren im Urlaub an der Ostsee. Wußtet ihr das schon? **4.** Hilde

arbeitet wieder in der Chemiefabrik. Wußtest du das schon? **5.** Klaus muß mit seinem Wagen zum TÜV. Wußte er das schon? **6.** Klaus will morgen zu seinen Eltern fahren. Wußten Sie das schon?

7. *Fast alle Gastarbeiter schicken ihren Lohn nach Hause. – Ich habe gerade erfahren, daß fast alle Gastarbeiter ihren Lohn nach Hause schicken.* **8.** Euer Fernseher ist noch nicht bezahlt. **9.** Ihr müßt noch mindestens fünf Raten zahlen. **10.** Paul Blum liegt im Krankenhaus. **11.** Er hatte am Freitag einen Arbeitsunfall. **12.** Er muß sechs bis acht Wochen im Krankenhaus bleiben. **13.** Frau Busch hat heute einen Brief von ihrer Schwester bekommen.

C zu

1. *Ich möchte zu Herrn Busch. Wie komme ich zu ihm?*
2. Herrn Sand; **3.** Fräulein Busch; **4.** Klaus Busch; **5.** Herrn Fröhlich; **6.** Frau Inge Busch.

zum

7. *Wohin möchten Sie? – Ich möchte zum Arzt.*
8. Chef; **9.** Telefon; **10.** Studentenheim; **11.** Autohändler; **12.** Krankenhaus.

zur

13. *Wie komme ich zur Autobahn?*
14. Post? **15.** Halle drei? **16.** Autobahnauffahrt? **17.** Polizei? **18.** Zulassungsstelle?

zu meinem / meiner

19. *Wohin fährst du? – Ich fahre zu meinem Vater.*
20. Peter? (seine Schwester) **21.** Herr und Frau Fröhlich? (ihr Sohn) **22.** ihr? (unser Kollege)

23. *Wohin gehst du? – Ich gehe zu meiner Mutter.*
24. Karl? (sein Arbeitskollege) **25.** wir? (unsere Tochter) **26.** du? (mein Bruder)

D   um den / ums / **um** die ... herum

---

1. *Der Polizeibeamte geht um den Wagen herum.*
2. Wir – Krankenhaus; **3.** Ich – Fabrikhalle; **4.** Ihr – Studentenheim; **5.** Die Kinder – Tisch.

6. *Wie komme ich zur Post? – Gehen Sie um ... Fabrik herum. Dort sehen Sie sie.*
7. Wie komme ich zum Büro? (Werkshalle) **8.** Wie komme ich zum Krankenhaus? (Studentenheim)

E   vor dem / der   **hinter** dem / der

---

1. *Wo sind die Polizeikontrollen? – Vor der Autobahnauffahrt.*
2. Wo ist das Büro? – Hinter ... Werkshalle. **3.** Wo ist die Post? – Vor ... Studentenheim. **4.** Wo ist Ihr Wagen? – Vor ... Post. **5.** Wo sind die Kinder? – Hinter ... Fabrik.

F   aus dem / der

---

1. *Wann kommt ihr aus der Fabrik? – Wir kommen um 5 Uhr aus der Fabrik.*
2. Helga – Volkshochschule? (um 9 Uhr abends) **3.** Peter – Labor? (um 6 Uhr) **4.** ihr – Kino? (um 11 Uhr) **5.** Sie – Büro? (um 4 Uhr) **6.** Ida und Helmut – Urlaub? (übermorgen) **7.** Paul Blum – Krankenhaus? (noch heute)

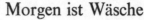

14   # Morgen ist Wäsche

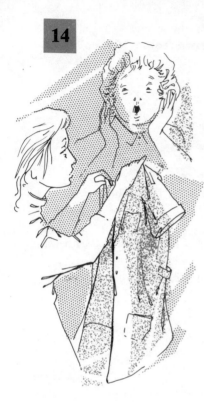

- Mutter, wann wäschst du mal wieder?
  Ich brauche dringend meinen weißen
  Arbeitskittel. Der andere ist auch schon
  wieder dreckig.
- Hast du denn keinen sauberen mehr?
- Doch, aber der grüne ist kaputt.
- Na ja, ich wollte morgen sowieso
  waschen. Dann wasche ich dir auch
  deinen Kittel mit. Hast du sonst
  noch was? Die Kunstfasersachen
  und die bunte Wäsche wasche ich
  später.

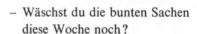

- Wäschst du die bunten Sachen
  diese Woche noch?
- Nein.
- Mein Gott! Was ziehe ich dann
  am Sonntag an?
- Na, dein neues Kleid.
- Welches? Das rote? Das ist doch
  nicht mehr ganz sauber.
  Na ja, ich kann es ja selbst schnell mal
  mit der Hand auswaschen.
  Dann geht es vielleicht.

Am nächsten Morgen bereitet Frau Busch die Wäsche vor. Sie sortiert die bunte Wäsche und die Kunstfasersachen aus. Dann nimmt sie die weiße Wäsche und steckt sie in die Waschmaschine. Sie stellt das Waschprogramm auf ‚Kochwäsche', schaltet die Maschine ein und gibt zweimal einen Becher Waschmittel in die Maschine. Nach eineinhalb Stunden ist das Programm durch. Sie holt die nasse Wäsche aus der Maschine und will sie aufhängen.

– Ach du meine Güte! Was ist denn das? Die Wäsche ist ja ganz blau. Wie ist denn das möglich? Da, mein blauer Schal!

A welcher ...? der ...
welchen ...? den ...   welches ...? das ...   welche ...? die ...
welchem ...? dem ...   welcher ...? der ...

1. *Der Zug kommt. – Welcher Zug? – Der Zug aus Berlin natürlich.*
2. Kennen Sie die Fabrik? – W.....? (die Maschinenfabrik Müller & Co.) 3. Wo ist das Kino? – W.....? (das Thalia-Kino) 4. Der Werkmeister kontrolliert gerade die Maschinen. – W.....? (der Werkmeister Busch) 5. Die Sekretärin geht gerade zum Chef. – W.....? (Fräulein Müller)

6. Klaus kommt mit dem Wagen. – Mit w.....? (mit seinem Wagen)
7. Helga ist im Zimmer. – In w.....? (in ihrem Zimmer) 8. Herr Busch arbeitet in der Fabrik. – In w......? (in der Maschinenfabrik Müller & Co.) 9. Peter kommt mit dem Zug. – Mit w.....? (mit dem Zug um 18.15 Uhr) 10. Wir wollen heute ins Kino. – In w.....? (ins Thalia-Kino)

B der / das / die -e   die -en

der rote Schal / das bunte Kleid / die weiße Wäsche
die roten Schals / die bunten Kleider / die grünen Tomaten

1. *Das Kleid ist aber teuer. – Welches Kleid? – Das rote da!*
2. der Schal (blau) 3. die Wäsche (bunt) 4. der Kittel (weiß) 5. das Auto (grün)

6. *Die Schals sind aber teuer. – Welche Schals? – Die bunten da.*
7. die Äpfel (rot) 8. die Kittel (weiß) 9. die Kleider (grün)

10. *Das Kleid da möchte ich gern kaufen. – Welches? Das rote oder das grüne?*
11. die Wäsche (bunt oder weiß) 12. das Auto (blau oder rot) 13. das Kleid (teuer oder billig)

C den / dem / der (!) – en

1. *Den Wagen möchte ich gern haben. – Welchen? Den blauen?*
2. den Kittel (kurz) 3. den Schal (bunt) 4. den Salat (grün) 5. den Apfel (rot)

6. *Bist du mit dem Schal zufrieden? – Bist du mit dem bunten Schal zufrieden?*
7. Seid ihr mit der Wäsche zufrieden? (weiß) 8. Sind Sie mit dem Kittel zufrieden? (grün) 9. Ist Helga mit dem Kleid zufrieden? (neu) 10. Ist Frau Busch mit dem Salat zufrieden? (billig)

D ein / kein / mein   -er (der) eine / keine / meine   -e (die)
                          -es (das)

ein billiger Wagen / ein schönes Kleid / eine rote Tomate

1. *Welches Kleid ziehst du am Sonntag an? – Mein blaues.*
2. Frau Busch? (bunt) 3. Helga? (neu) 4. Frau Fröhlich? (kurz) 5. Sie? (rot)

6. *Ich möchte eine Gurke. – Ich möchte eine schöne Gurke.*
7. Haben Sie keine Schokolade? (billig) 8. Haben Sie keine Butter da?
(gut) 9. Geben Sie mir bitte eine Bockwurst! (ander-)

E -en

1. *Möchten Sie einen Schal? – Ja, einen blauen.*
2. einen Wagen? (billig) 3. einen Kittel? (weiß)

4. *Haben Sie keinen Salat? – Haben Sie keinen grünen Salat?*
5. Kittel? (sauber) 6. Apfel? (schön)

7. *Möchten Sie die Äpfel da? – Möchten Sie die roten Äpfel da?*
8. Tomaten? (schön) 9. Schals? (bunt)

10. *Haben Sie keine Äpfel da? – Haben Sie keine billigen Äpfel da?*
11. Kittel? (weiß) 12. Kleider? (bunt)

F doch

1. *Fährt Klaus morgen nicht nach Stuttgart? – Doch, er fährt morgen nach
Stuttgart.*
2. Gehen Sie jetzt nicht nach Hause? 3. Hat Helga keinen sauberen
Kittel? 4. Habt ihr keine Schokolade?

G kein .... mehr

1. *Gib mir bitte ein bißchen Geld! Ich habe kein Geld mehr.*
2. Schokolade! 3. Milch! 4. Zucker! 5. Kartoffelsalat!

6. *Haben Sie noch Äpfel? – Nein, wir haben keine Äpfel mehr.*
7. Tomaten? 8. Butter? 9. Fisch? 10. Salz?

Die Panne

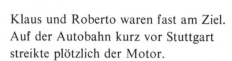

Klaus und Roberto waren fast am Ziel.
Auf der Autobahn kurz vor Stuttgart
streikte plötzlich der Motor.

– Verflixt, das hat uns gerade noch
gefehlt. Kurz vor dem Ziel auch noch
eine Panne.

Klaus lenkte den Wagen rechts heran
auf den Randstreifen. Beide stiegen aus.

– Roberto, sei bitte so gut und stell
das Warndreieck hinten auf!
Ich schaue inzwischen nach, was mit
dem Wagen los ist.

– Wo soll ich es aufstellen?

– Na, mindestens 250 Meter hinter
dem Wagen auf der Autobahn.

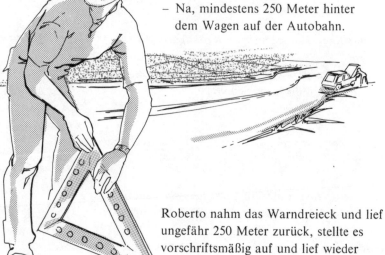

Roberto nahm das Warndreieck und lief
ungefähr 250 Meter zurück, stellte es
vorschriftsmäßig auf und lief wieder
zum Wagen zurück.

Inzwischen machte Klaus die Motorhaube
auf und kontrollierte als erstes die Kabel.
Er fand den Fehler sofort und konnte
ihn gleich beheben. Als Roberto atemlos
zurückkam, sagte Klaus zu ihm:
– Gott sei Dank, es war nur eine
  Kleinigkeit. Das Zündkabel war los.
  Du kannst das Warndreieck gleich
  wieder holen. Wir können
  weiterfahren.
– Na, ein Glück, sagte Roberto, daß ich
  ein guter Sportler bin.
  Im 1000-Meter-Lauf war ich sowieso
  schon immer gut.

| A | ich / er / es / sie **soll** ... | du sollst ... |
| | wir / Sie / sie   sollen ... | ihr sollt ... |

1. *Was soll ich aufstellen? – Stell bitte das Warndreieck auf! (Stellen Sie bitte das Warndreieck auf!)*
2. ..... nachschauen? (den Motor) 3. ..... aufmachen? (die Motorhaube)
4. ..... aufhängen? (die Wäsche) 5. ..... einschalten? (den Fernseher)
6. ..... anziehen? (den weißen Kittel) 7. ..... auswaschen? (meinen
blauen Schal) 8. ..... holen? (die Papiere)

9. *Was soll Roberto jetzt machen? – Er soll mal das Warndreieck aufstellen.*
10. Klaus? (den Motor nachschauen) 11. wir? (die Wäsche aufhängen)
12. ich? (den Fernseher einschalten) 13. Frau Busch? (den blauen Schal
auswaschen) 14. meine Kollegen? (ihre weißen Kittel anziehen)

15. *Sagen Sie bitte dem Erich, er soll ins Büro kommen.*
16. Herrn und Frau Busch – ins Krankenhaus; 17. Ihrem Kollegen – zur
Polizei; 18. der Sekretärin – zum Chef; 19. dem Roberto – ins Studenten-
heim; 20. Herrn Sand – zur Post; 21. Herrn Busch und Herrn Krüger – ins
Werk; 22. Ihrem Mann – zu mir; 23. Roberto und Klaus – zu uns.

B   ich sollte ...

1. *Erich sollte ins Büro kommen, aber er war noch nicht da.*
2. Herr und Frau Busch – ins Krankenhaus; 3. Ihr Kollege – zur Polizei;
4. die Sekretärin – zum Chef; 5. Roberto – ins Studentenheim; 6. Herr
Sand – zur Post; 7. Herr Busch und Herr Krüger – in die Werkshalle;
8. Ihr Mann – zu mir; 9. Roberto und Klaus – zu uns; 10. ich – zum TÜV.

C

1. *Wo ist Fräulein Busch? – Ich schaue mal nach, wo Fräulein Busch ist.*
2. Was ist mit dem Wagen los? 3. Was macht Frau Busch jetzt? 4. Wer
ist jetzt beim Chef? 5. Was kosten die Äpfel? 6. Wie spät ist es? 7. Wann
kommt der Zug aus Berlin an? 8. Wann fährt der Zug von hier ab?

9. *Ich bin ein guter Sportler. – Ein Glück, daß du ein guter Sportler bist.*
10. Wir haben Geld dabei. 11. Ich habe jetzt Zeit. 12. Mein Vater hilft
dir immer. 13. Ich kenne Sie gut. 14. Der Arzt war gestern da. 15. Letzte
Woche war das Wetter schön.

D   Sei ...!   Seien Sie ...!

1. *Bringen Sie mich zum Zug? – Seien Sie bitte so gut und bringen Sie mich*
zum Zug!
Bringst du mich zum Zug? – Sei bitte so gut und bring mich zum Zug!
2. Steigen Sie hier aus? 3. Schauen Sie den Motor nach? 4. Kommen Sie
morgen zu uns? 5. Holen Sie den Brief von der Post? 6. Schalten Sie den
Fernseher ein? 7. Waschen Sie meinen Arbeitskittel mit? 8. Besuchen
Sie morgen Paul Blum im Krankenhaus?

E

1. *Welches Kleid soll ich anziehen? – Zieh doch das rote Kleid an!*
(Ziehen Sie doch das rote Kleid an!)
2. Welchen Schal soll ich kaufen? (blau) 3. Welche Äpfel soll ich nehmen?
(billig) 4. Welche Wäsche soll ich heute waschen? (bunt) 5. Welches
Kleid soll ich morgen anziehen? (kurz)

1. *Wer hat gerade angerufen? – Es war mein Vater.*
Es waren meine Brüder.
2. der Werkmeister; **3.** meine Schwester; **4.** Peter Sand; **5.** meine Kollegen; **6.** meine Eltern; **7.** der Autohändler; **8.** ein Polizeibeamter.

G

1. *Was soll ich jetzt tun? Schluß machen? – Ja, du kannst jetzt Schluß machen.*
2. wir – zum Chef gehen? **3.** die Arbeiter – Feierabend machen? **4.** Roberto – das Warndreieck aufstellen? **5.** die Sekretärin – den Brief nach Leipzig schreiben? **6.** Werkmeister Busch – die Maschinen kontrollieren?
7. *Peter geht heute schon wieder ins Kino. – Er soll doch nicht immer ins Kino gehen.*
8. Wir machen heute schon wieder Überstunden. **9.** Erich ruft heute schon wieder den Chef an. **10.** Werkmeister Krüger schickt heute schon wieder den Otto. **11.** Die Kinder ziehen heute schon wieder ihre neuen Kleider an.

H km = Kilometer, **m** = Meter, **cm** = Zentimeter

$2^1/_2$ km: zweieinhalb Kilometer; 1,25 m: ein Meter fünfundzwanzig;
75 cm: fünfundsiebzig Zentimeter

1. 35 cm; **2.** 81 cm; **3.** 27 m; **4.** 165 m; **5.** 3,48 m; **6.** 4,03 m; **7.** 55,66 m;
8. 75 km; **9.** 587 km; **10.** $7^1/_2$ km; **11.** $1^1/_2$ km.

12. *Wie lang ist der Wagen? – Er ist 3,75 m lang.*
13. die Halle? (37 m); **14.** die Straße? ($5^1/_2$ km); **15.** der Zug? (126 m);
16. der Tisch? (1,55 m); **17.** der Schal? (73 cm); **18.** das Kabel? (265 m)

I

1. *Wieviel Kilometer sind es von Hamburg bis Frankfurt? – Von Hamburg bis Frankfurt sind es 500 Kilometer.*
2. von Hamburg bis Stuttgart? (695 km); **3.** von Hamburg bis Berlin? (290 km); **4.** von Hamburg bis Leipzig? (447 km); **5.** von Berlin bis Frankfurt? (534 km); **6.** von Berlin bis Stuttgart? (635 km); **7.** von Berlin bis Leipzig? (165 km).

16   Klaus als Briefträger

Klaus hat in Stuttgart eine gute
Ferienarbeit gefunden. Er arbeitet bei der
Post als Briefträger. Jeden Tag trägt er
die Post aus.

Er klingelt an einer Wohnungstür.
– Guten Tag, Frau Schmidt. Hier ist ein
   Einschreiben für Ihren Mann.
   Unterschreiben Sie bitte! ... Danke!
   Hier ist die übrige Post, zwei Briefe
   und die Zeitung.
– Ist der ‚Stern‘ noch nicht gekommen?
– Nein, der ist nicht dabei.
   Wahrscheinlich morgen.

Zwei Häuser weiter.
– Guten Tag. Ich habe hier eine
   Nachnahme für Sie.

– Eine Nachnahme? Was für eine Nachnahme?
– Ein kleines Päckchen.
– Von Baumann & Co.? Kenne ich nicht.
Ach ja, die haben neulich einen Prospekt geschickt und mir eine Ansichtssendung angeboten, aber ich habe doch gar nichts bestellt. Die Nachnahme bezahle ich nicht. Die geht zurück.
– Also, Sie verweigern die Annahme.
– Ja.
– Also gut. Ich schreibe dann ‚Annahme verweigert' und nehme sie wieder mit.
– Ja, tun Sie das!
– Auf Wiedersehen!

A ich habe ... bestel**lt**

1. *Bekommen Sie ein Bier? – Nein, ich habe eine Limo bestellt.*
2. ihr – Kartoffelsalat? (Brötchen mit Butter) **3.** der Herr – Erbsensuppe? (Eier) **4.** Fräulein Busch – eine Bockwurst? (Fischfilet) **5.** die Herren – Kaffee? (Bier)

ich habe ... geschic**kt**

6. *Du hast da einen Brief. – Ja, den haben mir meine Eltern geschickt.*
7. Hassan – eine Postkarte. (seine Familie) **8.** Paul – eine Flasche Wein. (seine Arbeitskollegen) **9.** ihr – einen Prospekt. (Foto-Wagner) **10.** Sie – ein Päckchen. (meine Frau)

ich habe ... **gefunden**

11. *Finden Sie den Fehler nicht? – Doch, ich habe ihn schon gefunden.*
12. Frau Busch – den Brief? **13.** Klaus – das Päckchen? **14.** ihr – den Prospekt? **15.** du – das Haus? **16.** die Kollegen – die Zeitung?

ich habe ... **angeboten**

17. *Bekommst du keine Arbeit? – Doch, Müller & Co. hat mir gerade eine Arbeit angeboten.*
18. ... Klaus keinen Gebrauchtwagen? (Herr Fröhlich) **19.** ... ihr keinen Kaffee? (deine Frau) **20.** ... Herr Blum keinen Wein? (ich) **21.** ... Sie kein Zimmer? (Frau Wagner)

B ich bin ... **gekommen**

1. *Ist Herr Sand schon da? – Nein, er ist noch nicht gekommen.*
2. Fräulein Busch? **3.** Ihre Kollegen? **4.** der Arzt? **5.** die Post?

ich bin ... **zurückgekommen**

6. *Du bist ja schon wieder zu Hause. – Ja, ich bin gestern zurückgekommen.*
7. Klaus; **8.** Ihr Vater; **9.** ihr; **10.** Sie; **11.** Ihre Eltern.

C **was für ein / eine ...?**

1. *Was für eine Maschine ist das? – Das ist eine Waschmaschine.*
2. Prospekt? (ein Foto-Prospekt) **3.** Tür? (unsere Wohnungstür) **4.** Kittel? (mein Arbeitskittel) **5.** Kabel? (das Zündkabel) **6.** Haus? (das Studentenheim) **7.** Apparat? (mein neuer Fernseher) **8.** Fabrik? (eine Chemiefabrik) **9.** Arbeiter? (ein Gastarbeiter) **10.** Sparbuch? (ein Postsparbuch) **11.** Vertrag? (ein Kaufvertrag) **12.** Schule? (die Volkshochschule) **13.** Salat? (Kartoffelsalat)

14. *Was für ein Schal ist das? – Das ist ein blauer Schal.*
15. Kleid? (kurz) **16.** Kittel? (kaputt) **17.** Waschmittel? (gut) **18.** Tisch? (klein) **19.** Waschmaschine? (teuer)

20. *Was für einen Wagen hast du? – Ich habe einen billigen Wagen.*
21. Kittel? (weiß) **22.** Schal? (bunt) **23.** Fernseher? (gut) **24.** Tisch? (klein) **25.** Zimmer? (schön)

26. *Ich möchte gern ein Kleid. – Was für ein Kleid soll es denn sein? – Ich möchte gern ein blaues Kleid.*
27. Wagen (billig) **18.** Arbeitskittel (weiß) **29.** Schal (bunt) **30.** Tisch (klein) **31.** Fernseher (gut)

32. *Was hast du für einen schönen Schal!*
33. Zimmer! **34.** Fernseher! **35.** Auto! **36.** Fotoapparat!

D

1. *Wer hat die Erbsensuppe bestellt? – Hier! Ich habe sie bestellt.*
2. das Fischfilet? **3.** den Kaffee? **4.** das Bier? **5.** die Milch? **6.** den Wein?

E

1. *Vielleicht findet Klaus hier eine gute Ferienarbeit. – Er hat hier schon eine gute Ferienarbeit gefunden.*
2. Vielleicht bekommt Inge heute den Brief von ihrer Schwester. **3.** Vielleicht kommt heute der ‚Stern'. **4.** Vielleicht schickt uns Baumann & Co. eine Ansichtssendung. **5.** Vielleicht wollen deine Kollegen ein Bier bestellen. **6.** Vielleicht bietet uns Frau Fröhlich einen Kaffee an.

F

1. *Meine Eltern schicken ein Päckchen. – Gestern haben sie das Päckchen geschickt.*
2. Klaus kauft den Gebrauchtwagen. – Gestern ..... **3.** Im Urlaub baden wir oft in der Ostsee. – Auch gestern nachmittag ..... **4.** Mein Motor streikt oft. – Gestern ..... **5.** Brauchen Sie den Wagen noch? – Nein, aber gestern ..... **6.** Frau Busch steckt die Wäsche in die Waschmaschine. – Eben ..... **7.** Dann holt sie die nasse Wäsche aus der Maschine. – Jetzt ..... **8.** Im Sommer regnet es oft. – Erst Donnerstag ..... **9.** Der Briefträger klingelt an der Haustür. – Eben .....

17 Sonntagabend im Wirtshaus

Hassan und Erich sitzen im Wirtshaus.
Hassan trinkt eine Cola, und Erich
trinkt Bier. Die Gläser sind schon leer.

– Trinkst du noch eine Cola, Hassan?
– Danke, ich habe genug.
– Na, ich trinke jedenfalls noch ein Bier.
  Herr Wirt! Bringen Sie bitte noch eins.

Der Wirt bringt ein neues Glas Bier.

– Können Sie nicht mal das Radio
  anstellen? Gleich kommen die
  Nachrichten mit den Lotto- und
  Totozahlen.

Der Wirt stellt das Radio an.

– Warum nimmst du keine Salzstangen,
  Hassan? Die schmecken gut.
  Ich esse immer welche zum Bier.
– Danke, nein, die mag ich nicht.
  Sag mal, Erich, tippst du eigentlich
  regelmäßig im Fußballtoto?
– Klar, und im Lotto spiele ich auch.
  Ich habe das Gefühl, daß ich dieses Mal
  was gewinne.

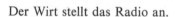

– Hast du denn schon mal was
  gewonnen?
– Ja, manchmal. Aber immer nur wenig.
  Mensch, wenn ich mal einen richtigen
  großen Gewinn hätte! Das wäre prima.
– Was würdest du denn mit dem
  vielen Geld machen?
– Na, zuerst würde ich mir ein
  Motorrad kaufen. So eine richtige
  schwere Maschine, weißt du.
  Damit könnte ich den Mädchen
  gewaltig imponieren.
– Na, ich weiß nicht.
– Hast du eine Ahnung! So ein heißer
  Ofen imponiert immer. Spielst du
  denn nicht im Toto?
– Och, ich gewinne jede Woche.
– Ist das wahr? Wirklich?
– Ja doch. Weil ich nicht spiele und den
  Einsatz spare.
– Ach du! Du machst Witze!

A   den -n / meinen -n

1. *Was sollen wir mit den Tischen machen? Sollen wir sie ins Zimmer bringen?*
2. die Formulare? – Sollen wir sie der Sekretärin bringen? **3.** die Zeitungen? – Soll ich sie den Kollegen geben? **4.** die Postkarten? – Sollen wir sie an unsere Kollegen schicken? **5.** die Fische? – Sollen wir sie noch heute essen? **6.** die Gläser? – Soll ich sie in die Küche bringen?

7. *Gib die Schokolade den Kindern! – Die essen sie bestimmt gern.*
8. die Äpfel – deine Töchter! – Die mögen sie bestimmt. **9.** die Zeitungen – die Kollegen! – Die möchten sie bestimmt noch lesen. **10.** die Cola – die Mädchen! – Die trinken sie sicher. **11.** die Fotos – deine Brüder! – Die interessieren sie sicher.

71

B ich / er / es / sie **wäre** ...   du wärst ...
    wir / Sie / sie   wären ...   ihr wärt ...

1. *Sie sind ja noch hier. Ich habe gedacht, Sie wären schon im Kino.*
2. ihr – zu Hause (im Betrieb); **3.** du – im Büro (zu Hause); **4.** das Mädchen – bei Frau Busch (in der Volkshochschule); **5.** deine Kollegen – in Stuttgart (in Hamburg); **6.** Erich – im Wirtshaus (bei seiner Familie).

C ich / er / es / sie **hätte** ...   du hättest ...
    wir / Sie / sie   hätten ...   ihr hättet ...

1. *Sie essen ja gar nicht. Ich dachte, Sie hätten Hunger.*
2. Du sitzt ja immer noch hier. (zu tun) **3.** Frau Busch ist ja allein. (Besuch) **4.** Ihr eßt ja Bockwurst. (Appetit auf Fisch) **5.** Helga arbeitet ja noch. (Feierabend) **6.** Die Kinder gehen ja noch in die Schule. (Ferien)

7. *Du hast ja ein rotes Kleid. Und ich dachte immer, du hättest ein blaues Kleid.*
8. Klaus hat ja einen Gebrauchtwagen. (einen neuen Wagen) **9.** Sie haben ja einen grünen Arbeitskittel. (einen weißen Arbeitskittel) **10.** Helga hat ja einen bunten Schal. (einen roten Schal)

D ich / er / es / sie **würde** ...   du würdest ...
    wir / Sie / sie   würden ...   ihr würdet ...

1. *Ihr fahrt nach England? Ich habe gedacht, ihr würdet nach Spanien fahren.*
2. Sie arbeiten bei Müller & Co.? (bei Foto-Wagner) **3.** Hassan trinkt Cola? (Bier) **4.** Du kaufst ein Motorrad? (einen kleinen Wagen) **5.** Frau Busch wäscht heute? (morgen) **6.** Ihr geht ins Kino? (zu Frau Schmidt) **7.** Die Eltern fahren mit dem Auto? (mit dem Zug)

E wenn ...

1. *Kaufst du keinen neuen Wagen? – Ja schon, wenn ich genug Geld hätte.*
2. Fährst du nicht nach Spanien? (genug Urlaub) 3. Bringst du mich nicht nach Hause? (mehr Zeit) 4. Arbeitest du nicht gern? (eine interessante Arbeit)

5. *Willst du nicht nach Hamburg fahren? – Wenn ich mehr Zeit hätte, würde ich schon fahren.*
6. Wollt ihr heute nicht ins Kino gehen? 7. Wollen Sie nicht noch etwas dableiben? 8. Will Herr Busch seinen Kollegen nicht besuchen? 9. Willst du mir nicht bei der Arbeit helfen?

10. *Wenn ich genug Geld hätte, könnte ich das Motorrad sofort bezahlen.*
11. du; 12. ihr; 13. Sie; 14. wir; 15. Erich.

F Warum ...? – weil ...

1. *Warum fährst du dieses Jahr nicht nach Spanien? – Weil ich zu Hause bleiben will.*
2. Ich bekomme dieses Jahr keinen Urlaub mehr. 3. Ich habe nicht genug Geld. 4. Ich will Geld sparen. 5. Ich muß dieses Jahr zu meinen Eltern fahren.

6. *Warum ißt Hassan keine Salzstangen? – Weil er sie nicht mag.*
7. Warum essen Sie keinen Fisch? (Ich mag keinen Fisch.) 8. Warum will Erich ein Motorrad kaufen? (Er will den Mädchen imponieren.) 9. Warum stellt der Wirt das Radio an? (Gleich kommen die Nachrichten.) 10. Warum spielt ihr im Fußballtoto? (Wir wollen Geld gewinnen.)

G damit

1. *Kann ich mal das Warndreieck haben? – Was wollen Sie denn damit machen?*
2. Helga – das Glas? 3. Frau Busch – Ihren Arbeitskittel? 4. wir – die Zeitungen? 5. der Beamte – deinen Führerschein?

18

Unter Freundinnen

Helga kommt mit Petra aus der
Gymnastikstunde. Auf dem Nachhauseweg
unterhalten sie sich.

– Was ich noch sagen wollte, Petra,
  hast du Lust, nächste Woche zu einer
  Geburtstagsparty zu gehen?
– Warum? Hast du denn Geburtstag?
– Ach wo, ich hatte schon im
  September. Nein, ich habe eine
  Einladung bekommen.
– Von wem?
– Von Peter Sand.
– Wer ist denn das? Ein neuer Freund?
– I wo, mein Kollege aus dem Labor.
  Habe ich dir noch nie von ihm
  erzählt?
– Nein, das hast du nicht. Der hat dich
  eingeladen?

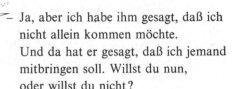

– Ja, aber ich habe ihm gesagt, daß ich
  nicht allein kommen möchte.
  Und da hat er gesagt, daß ich jemand
  mitbringen soll. Willst du nun,
  oder willst du nicht?
– Nun ja, wenn es sein muß, tue ich dir
  den Gefallen.
– Du, das ist sehr fein von dir.
  Der Peter Sand sagte auch, daß seine
  Verlobte kommt. Und auf die bin ich
  nämlich sehr neugierig.

– Eifersüchtig?
– Ach Quatsch! Ich bin doch mit Otto
 befreundet.
– Ja, natürlich, mit Otto, dem
 Fotoreporter, der nie da ist.
– Was willst du mit dieser Bemerkung
 sagen? Der muß ja schließlich
 auch sein Geld verdienen, wie du
 und ich.
– Du, Helga, da kommt meine
 Straßenbahn. Ich muß mich beeilen.
 Tschüs!
– Tschüs! Morgen mußt du mir
 aber sagen, was du mit deiner
 Bemerkung gemeint hast.

A wem?

1. *Helga ist mit Otto befreundet. – Mit wem ist sie befreundet? Mit Otto?*
2. Helga kommt mit Petra aus der Gymnastikstunde. 3. Hassan sitzt mit Erich im Wirtshaus. 4. Klaus fährt mit Roberto nach Stuttgart. 5. Herr Busch hat mit den Arbeitern gesprochen. 6. Peter will mit Helga ins Kino gehen.

7. *Der Brief ist von meiner Schwester. – Von wem ist der Brief? Von deiner Schwester?*
8. Ich habe von Herrn Sand eine Einladung bekommen. 9. Helga hat Petra von Herrn Sand erzählt. 10. Klaus fährt morgen zu seiner Mutter. 11. Ich gehe jetzt zu Herrn Busch. 12. Helmut ist heute bei meinem Bruder. 13. Helga ruft bei Foto-Wagner an. 14. Roberto wohnt in Stuttgart bei Familie Busch.

15. *Helga hat Petra von ihrem Kollegen erzählt. – Wem hat sie von ihrem Kollegen erzählt?*
16. Der Wirt hat Hassan ein Glas Bier gebracht. 17. Frau Busch hat uns Kaffee angeboten. 18. Erich wollte seinem Kollegen bei der Arbeit

helfen. **19.** Ich habe meinen Eltern eine Postkarte geschickt. **20.** Ich habe meinem Freund einen Brief geschrieben. **21.** Frau Busch hat ihrem Sohn ein Päckchen geschickt. **22.** Wir bringen unseren Kindern Schokolade mit. **23.** Klaus möchte mir seinen Wagen verkaufen.

B   sein

1. *Kannst du mir von der Post Briefmarken mitbringen? – Wenn es sein muß, tue ich dir den Gefallen.*
2. meinem Bruder? **3.** deiner Kollegin? **4.** uns? **5.** Helga? **6.** Herrn Busch?

7. *Sind Sie morgen in Hamburg? – Ja, ich muß morgen in Hamburg sein.*
8. Bist du heute abend bei mir? – Ja, ich werde ..... **9.** Seid ihr heute nachmittag bei Herrn Busch? – Ja, wir werden ..... **10.** Ist Petra morgen bei dir? – Ja, sie wollte ..... **11.** Sind deine Freunde auch bei der Geburtstagsparty? – Ja, sie werden .....

C   sich

er / sie unterhält **sich**	Sie / sie unterhalten **sich**

1. *Was machen Helga und Petra? – Sie unterhalten sich über die Geburtstagsparty.*
2. deine Kollegen? (über Sport) **3.** Otto und Peter? (über Politik) **4.** Klaus? (mit Roberto) **5.** Petra? (mit ihren Arbeitskollegen)

6. *Was haben Erich und Hassan gemacht? – Sie haben sich über Fußball unterhalten.*
7. Peter? (mit seinen Freunden) **8.** Helga und Petra? (über das Wetter) **9.** deine Kollegen? (über ihren Urlaub) **10.** Frau Busch? (mit ihren Kindern)

er / sie beeilt **sich**	Sie / sie beeilen **sich**

11. *Wann ist denn Erich mit seiner Arbeit endlich fertig? – Gleich. Er beeilt sich ja schon.*

12. Helga – mit den Fotos? **13.** Frau Busch – mit ihrer Wäsche? **14.** Klaus und Roberto – mit ihren Briefen an die Eltern? **15.** deine Kollegen – mit ihrer Arbeit?

16. *Helga ist ja schon hier. Da hat sie sich wirklich sehr beeilt.*
17. Klaus; **18.** Sie; **19.** deine Freunde; **20.** Petra.

D ich ... **mich**   du ... **dich**   wir ... **uns**   ihr ... **euch**

1. *Was haben Sie gestern im Wirtshaus gemacht? – Wir haben uns über Politik unterhalten.*
2. ihr – in der Volkshochschule? (über neue Kulturprogramme) **3.** du – bei Familie Busch? (mit Herrn Busch) **4.** Sie – bei Helga? (mit Helga über unsere Arbeitskollegen) **5.** ihr – bei der Geburtstagsparty? (sehr gut)

6. *Du bist ja schon mit deiner Arbeit fertig. Du hast dich wirklich sehr beeilt.*
7. ihr; **8.** wir; **9.** ich.

E zu

1. *Willst du auch ins Kino gehen? – Nein, ich habe heute keine Lust, ins Kino zu gehen.*
2. Wollen Sie auch Bier trinken? **3.** Wollt ihr auch Fisch essen? **4.** Will Frau Busch auch Wäsche waschen? **5.** Wollen Helga und Petra auch zur Party kommen? **6.** Willst du auch zu Klaus fahren?

7. *Willst du nicht nach Hause zurückfahren? – Nein, ich habe keine Lust, nach Hause zurückzufahren.*
8. Will Helga nicht ihr grünes Kleid anziehen? **9.** Wollt ihr nicht das Radio anstellen? **10.** Willst du nicht mit uns mitgehen? **11.** Wollen die Mädchen nicht zur Party mitkommen? **12.** Wollen die Kinder nicht die Zeitungen austragen?

Roberto, der Kellner

19

Roberto arbeitet in einem Restaurant
als Aushilfskellner. Er versteht etwas
von dem Beruf, denn seine Eltern
besitzen in Spanien ein kleines Hotel,
das einmal sein Bruder übernehmen soll.

Gestern, am Sonntagabend, war im
Restaurant sehr viel Betrieb.
Die Leute, die an den Tischen saßen,
unterhielten sich oder warteten
oder riefen: „Herr Ober! Die
Speisekarte, bitte! – Herr Ober!
Bitte zahlen! – Herr Ober, bitte noch ein
Bier!" Die Kellner liefen zwischen
den Tischen hin und her und hatten
rote Köpfe. Die Tische, die am Fenster
standen, gehörten zu Robertos Revier.
Ein paar Gäste riefen Roberto,
der gerade am Nebentisch servierte, zu:

– Herr Ober! Bitte, die Speisekarte!

Roberto brachte sie ihnen. Und als er
das nächste Mal vorbeikam,
nahm er die Bestellung entgegen.

– Bringen Sie uns zweimal
  Kalbsbraten mit Kartoffeln und Salat.
  Vorher bitte zwei Nudelsuppen.

– Und was möchten Sie trinken?

– Zwei Bier.

Am Nachbartisch riefen die Leute:

– Herr Ober, bitte zahlen!

– Einen Moment! Ich komme sofort.

Roberto ging ans Büffet und bestellte
das Essen. Dann verlangte er zwei Bier,
die er sofort servierte.

– Herr Ober, zahlen!, sagten die Gäste am Nebentisch ein wenig ungeduldig.

– Ich komme! ... Was hatten die Herrschaften? ... Zwei Wiener Schnitzel mit Salat, ein Paar Frankfurter mit Brötchen, zwei Suppen, drei Eis und zwei Kaffee.
Das macht ... 29,40 Mark.

Sie gaben ihm dreißig Mark.

– Stimmt so, sagte der Mann.

– Danke sehr!, sagte Roberto.

A ihnen

1. *Dort sitzen Gäste am Fenster. Bringen Sie ihnen bitte die Speisekarte!*
2. Meine Kollegen sitzen im Zimmer. (Bier) **3.** Vor dem Büro warten einige Leute. (die Prospekte) **4.** Vor der Werkshalle stehen die Arbeiter. (die Formulare)

5. *Hast du den Kindern die Schokolade gegeben? – Natürlich habe ich sie ihnen gegeben.*
6. Haben Sie den Gästen die Suppe gebracht? **7.** Hat Klaus seinen Eltern das Päckchen geschickt? **8.** Hat Roberto seinen Freunden das Geld zurückgegeben?

9. *Bei wem wohnst du in Stuttgart? Bei deinen Eltern? – Ja, ich wohne bei ihnen.*
10. Mit wem spricht Herr Busch? Mit den Arbeitern? **11.** Von wem ist dieser Brief? Von Ihren Kindern? **12.** Zu wem will Hassan gehen? Zu seinen Arbeitskollegen? **13.** Bei wem werden wir heute essen? Bei deinen Freunden?

B Ihnen

1. *Können Sie mir bitte mein Geld zurückgeben? – Ich gebe es Ihnen morgen zurück.*
2. Können Sie mir bitte den Brief von Baumann & Co. bringen? 3. Können Sie mir bitte die Formulare schicken? 4. Können Sie mir bitte meinen Arbeitskittel auswaschen? 5. Können Sie mir bitte das Päckchen von der Post abholen?

C -s

1. *Wo wohnen die Eltern von Roberto? – Robertos Eltern wohnen in Spanien.*
2. Wie heißt der Freund von Helga? – ..... heißt Otto. 3. Ist Klaus der Bruder von Helga? – Ja, Klaus ist ..... 4. Wer ist die Freundin von Petra? – ..... ist Helga. 5. Ist Karl Busch der Mann von Inge? – Ja, Karl Busch ist ..... 6. Wie heißt die Kollegin von Peter? – ..... heißt Helga Busch. 7. Kommt da der Arbeitskollege von Erich? – Ja, da kommt ..... 8. Steht vor dem Haus der Wagen von Herrn Fröhlich? – Ja, da steht .....

D ..., der / das / die ...

1. *Dieser Brief ist heute gekommen. – Ist das der Brief, der heute gekommen ist?*
2. Dieses Essen ist nicht auf der Speisekarte. 3. Dieser Gast bekommt Kalbsbraten. 4. Diese Leute haben noch nicht bestellt. 5. Dieser Kellner bringt uns das Essen. 6. Diese Zeitung ist heute mit der Post gekommen. 7. Dieser Arbeitskittel ist kaputt.

..., den / das / die ...

8. *Hier ist Ihre Suppe, bitte schön! – Das ist nicht die Suppe, die ich bestellt habe.*
9. Ihre Zeitung! 10. Ihr Wein! 11. Ihr Salat! 12. Ihr Essen! 13. Ihr Fisch! 14. Ihre Kartoffeln! 15. Ihr Schnitzel!

16. *Haben Sie Nudelsuppe bestellt? – Ja, wo bleibt denn die Nudelsuppe, die ich bestellt habe?*
17. Kalbsbraten? **18.** Kieler Sprotten? **19.** Kartoffeln? **20.** Wiener Schnitzel? **21.** Brötchen? **22.** Eis? **23.** Kaffee? **24.** Limo? **25.** Frankfurter? **26.** Salat? **27.** Fischfilet? **28.** Fisch? **29.** Bier? **30.** Wein? **31.** Milch?

E

1. *Wollten Sie nicht Kalbsbraten haben? – Ja, natürlich. Geben Sie ihn mir bitte!*
2. Ihre Kollegin – Schnitzel? **3.** Ihr Sohn – ein Paar Frankfurter? **4.** Ihre Tochter – Kartoffelsalat? **5.** Ihr Kind – ein Glas Milch? **6.** das Mädchen – ein Eis? **7.** ihr – ein Bier? **8.** du – eine Flasche Wein?

F an, in

1. *Wo eßt ihr heute? – Wir essen heute im Restaurant.*
2. Wo wartet dein Freund? (Wagen) **3.** Wo arbeitet Helga? (Labor) **4.** Wo sind Hassan und Erich? (Wirtshaus) **5.** Wo sitzen sie heute? (Fenster) **6.** Wo arbeitet Hassan? (Halle eins) **7.** Wo steht der Fernseher? (Zimmer) **8.** Wo sitzen die neuen Gäste? (Nachbartisch) **9.** Wo arbeitet Hilde? (Chemiefabrik) **10.** Wo machen Helmut und Ida Urlaub? (Ostsee) **11.** Wo wohnt Frau Busch? (Friedensstraße) **12.** Wo wartet der Briefträger? (Wohnungstür) **13.** Wo ist Paul Blum? (Krankenhaus) **14.** Wo ist der Kellner? (Büffet) **15.** Wo ist die Sekretärin? (Büro) **16.** Wo ist mein weißer Arbeitskittel? (Waschmaschine) **17.** Wo steht Frau Busch? (Waschmaschine)

20

Alles wird teurer

– Hier ist mein Kostgeld für den
letzten Monat, Mutter!
– Ja, danke. Leg es bitte auf den
Küchentisch! Übrigens Helga, sag mal,
kannst du nicht etwas mehr geben?
Ich komme mit dem Geld einfach
nicht mehr aus. Es reicht hinten und
vorne nicht.
– Wenn es sein muß. Wieviel denn?
– Na, ich dachte, vielleicht fünfzig Mark
mehr. Übrigens hat Vater auch gesagt,
daß die Miete höher geworden ist.
Wenn du mir fünfzig Mark mehr
geben kannst, bin ich schon zufrieden.
– Fünfzig Mark? So viel? Ich wollte
doch für die Fahrschule sparen.
– Es tut mir leid, Helga. Aber ich
brauche das Geld. Alles ist ja teurer
geworden. ... Na, dann gib mir
wenigstens vierzig Mark! Ich werde
dann sehen, wie ich auskomme.
– Danke.

– Es fällt mir als Mutter wirklich nicht
leicht, Geld von meinen Kindern
zu verlangen. Aber was soll ich tun,
wenn dauernd die Preise steigen?
Früher war alles viel billiger,
und man bekam viel mehr für sein
Geld. Aber, um ehrlich zu sein,
schlechter leben wir ja jetzt auch nicht.
Im Gegenteil, uns geht es besser
als früher. Nur die Ansprüche,
die man stellt, sind größer geworden.

A   -er

billig – billiger

1. *Der Kaffee ist hier wirklich sehr billig. – Bei uns ist er aber noch billiger.*
2. Hier ist das Wetter wirklich sehr schön. **3.** Die Brötchen hier sind wirklich sehr klein. **4.** Die Menschen hier sind wirklich sehr zufrieden. **5.** Die Gäste sind hier wirklich sehr ungeduldig. **6.** Die Straßen sind hier wirklich sehr sauber. **7.** Die Autos fahren hier wirklich sehr schnell.

groß – größer   warm – wärmer   hoch – höher

8. *Mein Zimmer ist groß. Dein Zimmer ist aber größer.*
9. Die Maschinenfabrik ist groß. Die Chemiefabrik ..... **10.** Die Fenster in diesem Zimmer sind groß. Die Fenster im Nebenzimmer .....
11. Meine Tochter ist groß. Mein Sohn .....

12. *Heute ist das Wetter schön warm. – Gestern war es aber noch wärmer.*
13. Heute ist das Wasser schön warm. – Letzte Woche ..... **14.** Letztes Jahr waren die Preise schon hoch. – Dieses Jahr ..... **15.** Früher waren die Mieten schon hoch. – Jetzt .....

B viel – **mehr** gut – **besser**

1. *Früher hat Herr Fröhlich schon viel verdient. Heute verdient er aber noch mehr.*
2. Du verstehst schon viel von deinem Beruf. Dein Kollege ...... **3.** Letztes Jahr mußten wir für ein Zimmer schon viel zahlen. Jetzt ..... **4.** Die Arbeiter verlangten früher schon viel für ihre Arbeit. Heute ..... **5.** Du trinkst schon viel. Dein Freund ..... **6.** Die Leute haben früher schon viel gekauft. Heute ..... **7.** Der Händler hat letzte Woche schon viel verkauft. Diese Woche ..... **8.** Ein Laborant verdient schon viel. Ein Ingenieur .....

9. *Helga spricht gut Französisch. Aber du sprichst viel besser Französisch.*
10. Heute geht die Arbeit gut voran. Aber gestern ..... **11.** Die Nudelsuppe schmeckt wirklich gut. Aber Erbsensuppe ..... **12.** Früher haben die Menschen gut gelebt. Aber heute ..... **13.** Erich arbeitet gut. Aber Hassan ..... **14.** Uns geht es heute ganz gut. Aber früher .....

C als

1. *Ist bei Ihnen der Kaffee nicht so billig? – Doch, bei uns ist er noch billiger als hier.*
2. Ist bei Ihnen das Wetter nicht so schön? **3.** Sind bei Ihnen die Straßen nicht so sauber? **4.** Fahren die Autos bei Ihnen nicht so schnell? **5.** Sind bei Ihnen die Fenster nicht so groß? **6.** Wird das Wasser bei Ihnen nicht so warm? **7.** Sind bei Ihnen die Preise nicht so hoch? **8.** Muß man bei Ihnen für ein Zimmer nicht so viel bezahlen? **9.** Verdient bei Ihnen ein Ingenieur nicht so viel? **10.** Leben die Menschen bei Ihnen nicht so gut?

D zu

1. *Muß Frau Busch Geld von ihrer Tochter verlangen? – Ja, aber es fällt ihr nicht leicht, von ihrer Tochter Geld zu verlangen.*
2. Muß Herr Busch viel Miete zahlen? **3.** Müßt ihr jetzt schon nach Hause fahren? **4.** Muß Helga mit ihrem Chef sprechen? **5.** Muß Klaus

seinen Wagen wieder verkaufen? **6.** Müßt ihr in ein anderes Zimmer umziehen? **7.** Müssen Sie morgen Stuttgart verlassen? **8.** Müssen die Kinder regelmäßig in die Schule gehen? **9.** Mußt du Französisch lernen?

10. *Kann man hier leicht Geld verdienen? – Im Gegenteil, es ist sehr schwer, hier Geld zu verdienen.*
11. Kann man hier leicht leben? **12.** Kann man leicht Französisch lernen? **13.** Kann man leicht Gebrauchtwagen verkaufen? **14.** Kann man einen Fehler im Motor leicht finden? **15.** Kann man mit seinem Geld leicht auskommen? **16.** Kann man mit mir leicht zusammenarbeiten?

| **E** wohin ...? | auf **den** ... aufs ... | auf **die** ... |
| wo ...? | auf **dem** ... | auf **der** ... |

1. *Wo hast du den Brief hingelegt? – Ich habe ihn auf den Tisch gelegt.*
– Wohin? Auf den Tisch? Da liegt er nicht.
2. Sie – die Speisekarte? (Nebentisch) **3.** ihr – die Zeitungen? (Küchenbüffet) **4.** du – die Wäsche? (Tisch) **5.** die Sekretärin – das Formular? (Bürotisch) **6.** Klaus – meine Post? (Radio) **7.** Helga – die Butter? (Küchentisch) **8.** du – die Postkarten? (Zeitung)

9. *Wo ist mein Brief? Hast du ihn nicht auf den Tisch gelegt? – Liegt er denn nicht auf dem Tisch?*
10. die Speisekarte? Sie – Nebentisch? **11.** die Zeitungen? ihr – Küchenbüffet? **12.** die Wäsche? du – Tisch? **13.** das Formular? die Sekretärin – Bürotisch? **14.** meine Post? Klaus – Radio? **15.** die Brötchen? Helga – Küchentisch? **16.** meine Postkarten? du – Zeitung?

21

Der Nachtportier

Roberto hat inzwischen seinen Arbeitsplatz gewechselt, weil ihm die Arbeit als Kellner zu anstrengend war. Er arbeitet jetzt als Nachtportier in einem Hotel. Dies ist die richtige Ferienarbeit für ihn. Er verdient gut und kann in der Nacht, wenn alles ruhig ist und die Gäste schlafen, auch etwas für sein Studium tun.

Ein Hotelgast kommt spät ins Hotel zurück.

- Ist Post für mich da?
- Welche Zimmernummer haben Sie, bitte?
- Nummer 235.
- Ich schaue mal nach. ... Nein, leider nicht.

Roberto gibt ihm den Zimmerschlüssel.
- Gute Nacht! Angenehme Ruhe!
- Gute Nacht!

Etwas später kommen ein Herr und eine Dame.
- Haben Sie noch ein Doppelzimmer frei? Mit Bad!
- Die Zimmer mit Bad sind leider schon alle besetzt.
  Aber da ist noch ein Zimmer mit Dusche.
- Gut. Geben Sie uns das bitte!

– Füllen Sie bitte noch das Anmeldeformular aus!

Der Herr füllt das Formular aus: Familienname, Vorname, Geburtsdatum, Geburtsort, Adresse.

– Tragen Sie bitte auch Ihre Personalausweis- oder Paßnummer ein. ... Darf ich Sie noch um Ihre Unterschrift bitten? Hier bitte! ... Ja, jetzt ist alles in Ordnung. ... Hier Ihr Schlüssel. Zimmer Nummer 214, im zweiten Stock. ... Dort drüben ist der Fahrstuhl!

– Danke! Gute Nacht!

– Gute Nacht und angenehme Ruhe!

A wenn

1. *Helga hat um 5 Uhr Feierabend. – Wann kommt sie nach Hause? – Na, wenn sie um 5 Uhr Feierabend hat.*
2. Wir sind morgen in Hamburg. – Und wann schreibt ihr uns? 3. Heute abend habe ich Zeit. – Und wann kannst du mir helfen? 4. Peter kommt heute nachmittag aus Hamburg zurück. – Und wann siehst du ihn? 5. Gleich kommen die Nachrichten. – Wann stellen Sie das Radio an? 6. Hilde ist um 7 Uhr aus dem Büro zurück. – Und wann kann ich mit ihr sprechen? 7. Das Doppelzimmer mit Bad wird morgen frei. – Und wann kann ich das Zimmer bekommen? 8. Nachts ist im Haus alles ruhig. – Und wann kann ich etwas für mein Studium tun? 9. Der Ober kommt gleich an unserem Tisch vorbei. – Wann bestellen wir das Essen?

87

10. *Ich wasche heute deinen Arbeitskittel. – Und wann kann ich ihn wieder bekommen? – Ja, wenn ich ihn gewaschen habe.*
11. Ich serviere jetzt am Nebentisch. – Und wann kommen Sie zu uns, Herr Ober? **12.** Das Mädchen macht Ihr Zimmer sauber. – Und wann kann ich auf mein Zimmer gehen? **13.** Klaus schaut den Motor nach. – Und wann können Klaus und Roberto weiterfahren? **14.** Wir tragen vormittags Zeitungen aus. – Und wann kommt ihr wieder nach Hause?

B	ich / er / es / sie **darf** ...	du darfst ...
	wir / Sie / sie **dürfen** ...	ihr dürft ...

---

1. *Ich möchte gern den Zimmerschlüssel. Darf ich Sie um den Zimmerschlüssel bitten?*
2. Ich möchte gern die Zeitung. **3.** Ich möchte gern die Speisekarte. **4.** Wir möchten gern einen Prospekt. **5.** Ich möchte gern das Salz. **6.** Ich möchte gern Ihre Unterschrift.

7. *Wir möchten heute gern später nach Hause kommen. Dürfen wir heute später nach Hause kommen?*
8. Helga möchte gern einmal mit deinem Wagen fahren. **9.** Klaus möchte gern heute abend bei uns vorbeikommen. **10.** Meine Freunde möchten hier gern einmal telefonieren. **11.** Ich möchte Peter gern zu deiner Party einladen. **12.** Die Kinder möchten heute gern zu Hause bleiben. **13.** Wir möchten gern hier aussteigen. **14.** Erich möchte gern den Fernseher anstellen. **15.** Peter möchte mich gern heute besuchen, Mutter.

C	der 1.	der 2.	der 3.	der 4.	der 7.
	der **erste**	der zweite	der **dritte**	der vierte	..... der **siebte**
	der 10.	der 11.	der 12.	der 13.	
	der **zehnte**	der elfte	der **zwölfte**	der dreizehnte	
	der 20.	der 21.			der 30.
	der **zwanzigste**	der **einundzwanzigste**	.....		der **dreißigste**

---

1. *Der wievielte ist heute? – Heute ist der 14. Januar.*
2. 12. Oktober; **3.** 2. Juli; **4.** 3. Februar; **5.** 11. Mai; **6.** 25. September; **7.** 5. März; **8.** 31. August; **9.** 17. April; **10.** 10. Juni; **11.** 1. Dezember; **12.** 13. November.

13. *Wann haben Sie Geburtstag? – Ich habe am 5. (fünften) März Geburtstag.*
14. Klaus? (18. Oktober) **15.** Helga? (3. Februar) **16.** Petra? (25. September) **17.** Herr Busch? (1. Dezember) **18.** Frau Busch? (7. Januar) **19.** du? (28. Juli)

20. *Wo wohnt Familie Busch? – Sie wohnt in Stuttgart, Friedensstraße 45 im 3. Stock.*
21. Peter Sand? (Stuttgart, Schillerstraße 13, 2. Stock) **22.** Herr Max Fröhlich? (Stuttgart, Berliner Straße 37, 1. Stock) **23.** Klaus? (Hamburg, Kieler Straße 1, 5. Stock) **24.** Sie? (Frankfurt, Goethestraße 107, 6. Stock)

D

1. *Warum hat Roberto seinen Arbeitsplatz gewechselt? – Weil ihm die Arbeit als Kellner zu anstrengend war.*
2. Warum ist Klaus in ein anderes Zimmer umgezogen? (sein Zimmer war zu klein) **3.** Warum haben Sie den großen Wagen nicht gekauft? (der Wagen war zu teuer) **4.** Warum hat Frau Busch Helgas Arbeitskittel gewaschen? (der Kittel war dreckig) **5.** Warum sind deine Freunde nicht nach Spanien gefahren? (ihr Urlaub war zu kurz)

E

1. *Roberto hat eine interessante Arbeit. – Ja, wirklich, das ist genau die richtige Arbeit für ihn.*
2. Helga hat ein schönes Zimmer. **3.** Herr und Frau Busch haben eine schöne Wohnung. **4.** Du hast einen schnellen Wagen. **5.** Wir haben ein großes Haus.

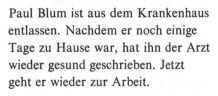

Paul Blum ist aus dem Krankenhaus entlassen. Nachdem er noch einige Tage zu Hause war, hat ihn der Arzt wieder gesund geschrieben. Jetzt geht er wieder zur Arbeit.

In der Frühstückspause sitzt er mit seinem Arbeitskollegen Fritz Fischer zusammen und frühstückt. Fischer liest die Zeitung, dann gibt er sie Blum: „Hier, lies mal! Der Schramm arbeitet doch bei Braun."

Wird bei Braun & Söhne gestreikt?

Fünf ältere Arbeiter entlassen! - Grund: Rationalisierung

Die Firmenleitung von Braun & Söhne hat fünf älteren Arbeitern gekündigt. Die Kündigungen wurden mit Rationalisierungsmaßnahmen begründet. Der Betriebsrat hatte sofort versucht, die Firmenleitung zu veranlassen, die Kündigungen zurückzuziehen. Nachdem dieser Versuch erfolglos geblieben war, ist jetzt noch die Gewerkschaft IG Metall eingeschaltet worden.

Die Belegschaft von Braun & Söhne ist empört, denn die Firmenleitung hatte erst vor kurzem mehrere jüngere Arbeiter eingestellt, und nun hat sie den älteren Arbeitern gekündigt, die schon viele Jahre im Betrieb arbeiten. Für den Fall, daß die Verhandlungen scheitern, drohen die Arbeiter mit Streik.

Paul Blum gibt seinem Kollegen die Zeitung zurück.

– Das ist doch Quatsch! Das ist doch ein wilder Streik! Da kann die Gewerkschaft sie nicht unterstützen, und Streikgelder bekommen sie auch nicht. Die sollen doch zum Arbeitsgericht gehen. Da wird schon alles geregelt.

A Bei Braun & Söhne **wird gestreikt.**

1. *Was ist denn hier los? – Wir streiken. – Ach, hier wird gestreikt.*
2. Was ist denn da los? – Die Kinder spielen Fußball. – Ach, da .....
3. Was ist denn heute bei dir los? – Wir bereiten eine Party vor. – Ach, bei dir ..... **4.** Was ist denn bei euch heute los? – Wir waschen heute Wäsche. – Ach, bei euch ..... **5.** Was ist denn da auf der Straße los? – Die Polizei kontrolliert dort Autos. – Ach, da .....

Wie wird die Wäsche mit der Waschmaschine gewaschen?
6. *Zuerst sortiere ich die Wäsche. – Richtig, zuerst wird die Wäsche sortiert.*
7. Dann stecke ich sie in die Waschmaschine. **8.** Danach schalte ich die Waschmaschine ein. **9.** Dann stelle ich das Programm auf ‚Kochwäsche'.

10. Dann gebe ich Waschmittel in die Waschmaschine. **11.** Wenn nach eineinhalb Stunden das Programm durch ist, nehme ich die Wäsche aus der Waschmaschine. **12.** Danach hänge ich die Wäsche auf.

B Letzte Woche **ist** bei Braun & Söhne **gestreikt worden.**

1. *Wann wird meine Wäsche gewaschen? – Sie ist gestern schon gewaschen worden.*
2. Wann wird Paul Blum gesund geschrieben? **3.** Wann wird der Kaufvertrag unterschrieben? **4.** Wann werden die Zeitungen abgeholt? **5.** Wann werden die Arbeiter entlassen? **6.** Wann werden die neuen Arbeiter eingestellt? **7.** Wann werden die Kündigungen zurückgezogen?

C ich **hatte** ... gegessen   ich **war** ... gegangen

1. *Wann haben deine Eltern gestern abend gegessen? – Ich weiß es nicht. Als ich nach Hause kam, hatten sie schon gegessen.*
2. Wann hat Helga ihr neues Kleid gekauft? – Ich weiß es nicht. Als ich sie traf, ... **3.** Wann hat dein Vater das Essen beim Ober bestellt? – Ich weiß es nicht. Als ich ins Restaurant kam, ... **4.** Wann hat der Wirt das Radio angestellt? – Ich weiß es nicht. Als wir ins Wirtshaus kamen, ... **5.** Wann hat Klaus die Post ausgetragen? – Ich weiß es nicht. Als ich zu ihm ging, ... **6.** Wann hat der Chef angerufen? – Ich weiß es nicht. Als ich ins Büro kam, ... **7.** Wann hat deine Schwester das Päckchen von der Post abgeholt? – Ich weiß es nicht. Als ich nach Hause kam, ...

8. Wann ist denn der Zug nach Stuttgart abgefahren? – Ich weiß es nicht. Als ich zum Zug wollte, ... **9.** Wann sind eure Gäste nach Hause gegangen? – Ich weiß es nicht. Als ich nach Hause kam, ... **10.** Wann ist Klaus ins Studentenheim umgezogen? – Ich weiß es nicht. Als ich ihn neulich besuchen wollte, ... **11.** Wann sind die Leute in den Zug eingestiegen? – Ich weiß es nicht. Als ich zum Zug kam, ... **12.** Wann sind Helmut und Ida von Kühlungsborn heimgefahren? – Ich weiß es nicht. Als ich dort ankam, ...

D nachdem ich ... gegessen **hatte,** .....
  nachdem ich ... angekommen **war,** .....

1. Nachdem wir in Hamburg angekommen ....., sind wir gleich in ein Hotel gegangen. 2. Nachdem ich gegessen ....., bin ich gleich schlafen gegangen. 3. Nachdem der Arzt Paul Blum gesund geschrieben ....., ist er wieder zur Arbeit gekommen. 4. Nachdem die Kinder gefrühstückt ....., sind sie in die Schule gegangen. 5. Nachdem meine Tochter schlafen gegangen ....., sind wir noch ins Kino gegangen.

E zu

1. *Kannst du deinen Wagen verkaufen? – Na ja, ich will versuchen, meinen Wagen zu verkaufen.*
2. Kann Roberto in Stuttgart eine Arbeit finden? – Na ja, er ..... 3. Kann Klaus den Fehler am Motor selbst beheben? – Na ja, er ..... 4. Könnt ihr im Fußballtoto etwas gewinnen? – Na ja, wir ...... 5. Können Sie den Motor anstellen? – Na ja, ich .....

6. Arbeitet ihr bei Braun & Söhne? – Ja, wir beginnen morgen, ... 7. Lernt Helmut Französisch? – Ja, er beginnt nächste Woche, ... 8. Füllst du das Formular aus? – Ja, ich habe gerade begonnen, ... 9. Streiken die Arbeiter bei Braun & Söhne? – Ja, sie haben gestern begonnen, ... 10. Liest Klaus noch die Zeitung? – Ja, er hat gerade begonnen, ... 11. Sortiert Frau Busch die Wäsche aus? – Ja, sie will gerade beginnen, ... 12. Hängt ihr die Wäsche auf? – Ja, wir haben gerade begonnen, ... 13. Tragen die Kinder die Zeitungen aus? – Ja, sie haben eben begonnen, ...

14. *Warum macht Helga heute Überstunden? – Der Chef hat* **sie** *veranlaßt, heute Überstunden zu machen.*
15. Warum habt ihr die Post geholt? 16. Warum ist Hassan in die Halle eins gegangen? 17. Warum haben die Arbeiter diese Maschine nicht angestellt? 18. Warum hat dich Fräulein Busch angerufen?

Der Protest

23

Karl Busch hat ein Hobby. Das ist sein kleiner Garten in der Nähe von Stuttgart. Sonntags fährt er oft mit dem Bus hinaus und arbeitet dort. Er ist der Vorsitzende vom Kleingärtnerverein.

Heute abend ist in der Gastwirtschaft ,Zur Traube' eine Versammlung. Gleich zu Beginn ergreift Karl Busch das Wort:

– Liebe Freunde! Ihr habt sicher schon alle von der Stadt die Kündigung bekommen. Sie wollen uns unsere Gärten wegnehmen. Das können wir uns doch nicht gefallen lassen! Die Stadt will den Grund an die Industrie verkaufen. Wenn sie wenigstens einen Sportplatz daraus machen würden! Ich frage euch nun, liebe Freunde, sollen

denn immer mehr Grünflächen verschwinden? Und übrigens, heute, wo alles so teuer ist, sind wir doch froh, wenn wir in unseren Gärten etwas Obst und Gemüse ziehen können. Wir wollen gar nicht davon reden, daß wir hier auch die Erholung haben, die wir so nötig

brauchen. Wir gehören nicht zu den
Leuten, die sonntags die Straßen
mit ihren Autos verstopfen und die
ganze Luft mit Abgasen verpesten.
Ich frage euch, liebe Freunde,
wollt ihr euch das gefallen lassen?
– Nein, nein!

Ich schlage deshalb vor, daß wir
an die Stadt ein Protestschreiben
schicken. Ich frage die Mitglieder,
wer dafür ist.
– Wofür?
– Na, daß wir ein Protestschreiben an
die Stadtverwaltung schicken.
Wer dafür ist, den bitte ich, die Hand
zu heben. ... Also alle. Der
Vorschlag ist einstimmig angenommen.
Der Vorstand wird sich jetzt
zusammensetzen und ein
Protestschreiben abfassen. Ich danke
euch, liebe Freunde!

A da(r)-

| dafür, damit, davon, dazu | darauf, daraus, darüber |

1. *Sind Sie für Streik? – Nein, ich bin nicht dafür.*
2. Seid ihr für einen Protest? (ja) 3. Bist du für einen neuen Sportplatz?
(ja) 4. Ist die Firmenleitung für eine Kündigung? (nein) 5. Sind die Stu-
denten für Ferienarbeit? (ja) 6. Sind Sie für Politik? (nein)

7. *Was wollen Sie denn mit den Formularen? – Ich will damit zum Chef.*
8. Was will Klaus denn mit einem neuen Wagen? – ..... in Urlaub fahren.
9. Was wollt ihr denn mit dem Wein? – ..... zu unserem Kollegen. **10.** Was will Vater denn mit dem Geld? – ..... die Miete zahlen. **11.** Was will Erich denn mit einem Motorrad? – ..... den Mädchen imponieren.

12. *Hat die Firmenleitung mit einer Kündigung gedroht? – Ja, sie hat damit gedroht.*
13. Haben die Arbeiter mit einem Streik gedroht? **14.** Haben die Leute mit einem Protest gedroht? **15.** Hat die Firmenleitung mit Entlassung gedroht?

16. *Fahrt ihr regelmäßig mit dem Bus? – Ja, wir fahren regelmäßig damit.*
17. Petra – mit der Straßenbahn? **18.** Klaus – mit dem Wagen? **19.** Erich – mit dem Motorrad?

20. *Verstehst du etwas von Politik? – Ja, etwas verstehe ich davon.*
21. mein Beruf? **22.** Elektrotechnik? **23.** Autos?

24. *Hat dir Klaus schon von seiner neuen Arbeit erzählt? – Nein, er hat mir noch nichts davon erzählt.*
25. Hat Ihnen Helga schon von der Geburtstagsparty erzählt? **26.** Hat euch Peter Sand schon von seinem Urlaub erzählt? **27.** Haben dir die Kollegen schon von dem Streik erzählt? **28.** Hat euch Kollege Busch schon von seinem Garten erzählt? **29.** Habe ich dir schon von meinem neuen Hobby erzählt?

30. *Gehören diese Leute da auch zu eurem Verein? – Nein, sie gehören nicht dazu.*
31. Gehört Herr Busch zum Betriebsrat? (ja) **32.** Gehört der Garten zu eurem Haus? (nein) **33.** Gehört dieses Kabel zum Fernseher? (nein) **34.** Gehört der Kartoffelsalat zur Bockwurst? (ja)

B

1. *Was wird aus der Grünfläche gemacht? – Daraus wird ein Sportplatz gemacht.*
2. das Gemüse? (eine Suppe) **3.** das Metall? (Schlüssel) **4.** die Kartoffeln? (Kartoffelsalat) **5.** Kunstfaser? (Wäsche und Kleider)

6. *Hast du Appetit auf Fisch? – Nein, ich habe keinen Appetit darauf.*
7. Peter – Bockwurst?(nein) **8.** ihr – Kartoffelsalat? (nein) **9.** die Kinder – Erbsensuppe? (ja) **10.** Sie – Tomatensalat? (ja)

11. *Wollen wir uns nicht über Sport unterhalten? – Doch, wir unterhalten uns gern darüber.*
12. ihr – Politik? **13.** Herr Busch – Sport? **14.** Klaus – Autos?
15. Erich und Hassan – Fußball? **16.** Sie – Ihr letzter Urlaub? **17.** die Kollegen – die Gewerkschaft?

C wo(r)- ?

1. *Ihr seid nicht für Streik? – Wofür seid ihr dann?*
2. du – Sport? **3.** Paul – ein Protest? **4.** Sie – Ferienarbeit?
5. *Sie wollen nicht mit dem Bus fahren? – Womit wollen Sie denn sonst fahren?*
6. Du willst nicht mit dieser Maschine arbeiten? **7.** Erich will sein Geld nicht mit Arbeit verdienen? **8.** Ihr wollt nicht mit Streik drohen? **9.** Sie wollen die Kündigungen nicht mit Rationalisierungsmaßnahmen begründen?
10. *Die Kollegen haben gerade über Politik geredet. – Und worüber haben sie sonst noch geredet?*
11. wir – Autos; **12.** die Arbeiter – den Streik; **13.** Erich – Fußball; **14.** Helga und Petra – die Party.
15. *Helga hat mir von eurer Party erzählt. – So? Und wovon hat sie dir sonst noch erzählt?*
16. Peter hat uns von seinem Urlaub erzählt. **17.** Karl Busch hat seinen Kollegen von seinem Hobby erzählt. **18.** Meine Freunde haben mir von deinem neuen Wagen erzählt.
19. *Ich habe keinen Appetit auf Fisch. – Worauf haben Sie dann Appetit?*
20. Helga – Bockwurst; **21.** die Kinder – Kartoffelsalat; **22.** wir – Tomatensalat.
23. *Ihr wollt euch nicht über Politik unterhalten? Worüber wollt ihr euch dann unterhalten?*
24. du – dein Hobby? **25.** Klaus – Motorräder? **26.** Sie – Ihr Urlaub?
27. Helga – die Party?

Hassan hat seine Koffer gepackt

Sie fragen, was ich hier mache?
Sie sehen ja. Ich packe meine Koffer.
Ich fahre nach Hause. Ich bin jetzt
fast zwei Jahre als Gastarbeiter
in der Bundesrepublik Deutschland.
... Ob es mir gefallen hat? Was
soll ich darauf sagen? Ja, es hat mir
schon gefallen. Wissen Sie, überall
gibt es gute und schlechte
Menschen. ... Die erste Zeit hier
war sehr schwer für mich. Sie
verstehen schon. Die fremden
Menschen und eine Sprache, die ich
nicht verstand. Es war nicht
leicht, sich zurechtzufinden. Nun,
inzwischen habe ich ja ganz gut
Deutsch gelernt. Das hören Sie ja.
Und ich kenne mich jetzt auch
ganz gut aus. ... Ob ich Freunde
gefunden habe? Ja. Vor allem
unter den anderen Gastarbeitern aus
meiner Heimat, die in der gleichen
Lage sind wie ich. Deutsche
habe ich nicht viele kennengelernt.
Meine Arbeitskollegen, ja, die
waren immer sehr freundlich zu mir.
Aber sonst? Sonst kenne ich
niemanden. In der ersten Zeit hatte
ich sehr viel Heimweh und habe
immer an meine Familie zu Hause
denken müssen. Ich habe immer

an meine Familie gedacht, an meine Frau und meine Kinder. Immer. Jetzt freue ich mich sehr, daß ich sie bald wiedersehen kann. Hier sind meine Fahrkarten! Endlich kann ich nach Hause fahren. Endlich kann ich zum Bahnhof gehen und in den Zug einsteigen, der mich in meine Heimat bringt. Wenn ich dann im Zug sitze, und er fährt, dann habe ich die Zeit vergessen, in der ich so oft allein war. ... Ob ich wieder zurückkomme? Natürlich! Nach Weihnachten und Neujahr. Meine Firma braucht mich doch, und ich muß Geld verdienen. Wenn ich dann wieder hierher zurückkomme, wird es nicht mehr so schwer sein wie am Anfang.

A ob

1. *Habe ich heute Post bekommen? – Ob ich heute Post bekommen habe?*
2. Gewinne ich diesmal etwas im Fußballtoto? 3. Kommt meine Straßenbahn bald? 4. Sind im Restaurant alle Tische besetzt? 5. Ist in diesem Hotel noch ein Zimmer frei? 6. Wird mein Vorschlag angenommen? 7. Kommt Klaus rechtzeitig nach Hause zurück? 8. Hat er eine Panne gehabt?

9. *Kommt Petra zu meiner Geburtstagsparty? Was meinst du? – Woher soll ich wissen, ob sie zu deiner Geburtstagsparty kommt?*
10. Leben wir heute wirklich besser als die Leute früher? Was meint ihr?
11. Zieht die Firmenleitung die Kündigung wieder zurück? Was meinen Sie?

12. Ist Paul Blum schon aus dem Krankenhaus entlassen worden? Was meinst du? **13.** Will die Stadt den Grund an die Industrie verkaufen? Was meinen Sie? **14.** Kommt Hassan wieder nach Deutschland zurück? Was meint ihr? **15.** Werden sie bei Braun & Söhne streiken? Was meint ihr? **16.** Hat Hassan den Erich unterwegs getroffen? Was meinst du? **17.** Hat es Hassan in Deutschland gefallen? Was meinen Sie? **18.** Ist Klaus schon von Hamburg zurückgekommen? Was meint ihr?

B ..., **in** den / das / die ...   ..., **in** dem / der ...

1. *Habt ihr in diesem Hotel gewohnt? – Ja, das ist das Hotel, in dem wir gewohnt haben.*
2. Hat Paul Blum in diesem Krankenhaus gelegen? **3.** Gehen Ihre Kinder in diese Schule? **4.** Arbeitet dein Sohn in dieser Fabrik? **5.** Geht ihr immer in dieses Restaurant? **6.** Wohnt Klaus in diesem Studentenheim? **7.** Steht Ihr Haus in dieser Straße? **8.** Sollen wir in diesen Wagen einsteigen?

aus, bei, mit, von, zu   durch, für   an, auf, hinter

9. *Wohnst du bei dieser Familie hier? – Ja, das ist die Familie, bei der ich wohne.*
10. Sollen wir mit diesem Wagen hier fahren? **11.** Hast du deinen Wagen bei diesem Autohändler da gekauft? **12.** Müssen wir jetzt durch diese Straße hier fahren? **13.** Arbeitest du immer mit diesem Arbeiter hier zusammen? **14.** Willst du an diese Firma da schreiben? **15.** Haben wir von dieser Firma da ein Schreiben bekommen? **16.** Ist Erich aus diesem Wirtshaus da gekommen? **17.** Habt ihr hinter diesem Wagen hier gestanden? **18.** Haben Sie meinen Brief auf diesen Tisch da gelegt? **19.** Willst du zu diesem Sportplatz hier? **20.** Arbeitet Otto für die Zeitung hier?

C ich **habe** ... **müssen / können / wollen**

1. *Hast du oft an deine Familie gedacht? – Ja, ich habe oft an meine Familie denken müssen.*
2. Haben Sie in Deutschland viel gearbeitet? **3.** Habt ihr viel Deutsch gelernt? **4.** Bist du hier mit wenig Geld ausgekommen? **5.** Habt ihr den neuen Wagen sofort bezahlt?

6. *Habt ihr die Leute immer verstanden? – Nein, wir haben sie nicht immer verstehen können.*
7. Hast du letzte Nacht gut geschlafen? 8. Ist Klaus gestern heimgefahren? 9. Haben Sie an der Ostsee viel gebadet? 10. Hast du in der letzten Zeit viele Briefe geschrieben? 11. Hat Herr Fröhlich letzte Woche viele Autos verkauft?

12. *Geht ihr denn nicht ins Kino? – Ja, eigentlich haben wir ins Kino gehen wollen, wir sind dann aber doch noch zu Hause geblieben.*
13. Bleibt denn Roberto nicht bei euch? – Ja, eigentlich ....., er ist aber dann doch noch nach Spanien gefahren. 14. Machen Sie denn heute nicht Punkt 5 Feierabend? – Ja, eigentlich ....., wir werden aber doch noch Überstunden machen. 15. Kommen Ihre Eltern denn heute nicht zurück? – Ja, eigentlich ....., aber sie bleiben doch noch bis morgen in Hamburg. 16. Wechselst du denn deinen Arbeitsplatz nicht? – Ja, eigentlich ....., aber ich bin dann doch noch bei meiner Firma geblieben.

D es gibt ...

1. *Gibt es hier in der Nähe eine Fahrschule? – Nein, hier in der Nähe gibt es keine Fahrschule.*
2. ein Krankenhaus? 3. eine Chemiefabrik? 4. ein Kino? 5. eine Telefonzelle? 6. ein Autohändler? 7. eine Volkshochschule? 8. ein kleines Hotel? 9. eine gute Gastwirtschaft? 10. ein gutes Fotolabor? 11. ein großer Sportplatz? 12. ein billiges Zimmer?

E

1. *Freust du dich auf die Ferien? – Ja, ich freue mich sehr darauf.*
2. ihr – Urlaub? 3. Sie – Party? 4. Peter – sein Geburtstag? 5. die Kinder – Weihnachten? 6. du – mein Besuch?

7. *Kennen Sie sich in Deutschland gut aus? – Ja, ich finde mich da ganz gut zurecht.*
8. ihr – Stuttgart? 9. Sie – Hamburg? 10. die Gastarbeiter – die Bundesrepublik? 11. du – unsere Stadt? 12. Hilde – ihre neue Firma?

1

A

B

C

D

E

F

G

2

A

B

C

D

E

F

G

H

I

3

A

B

C

D

E

F

G

H

I

J

K

L

4

A

B

C

D

E

F

G

H

I

5

A

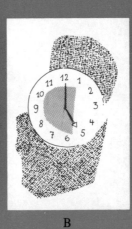

B

C

D

E

F

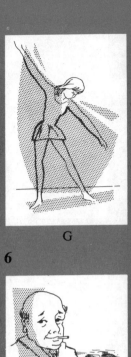

G

H

I

6

A

AUTO·VERKAUF

B

C

D

E

F

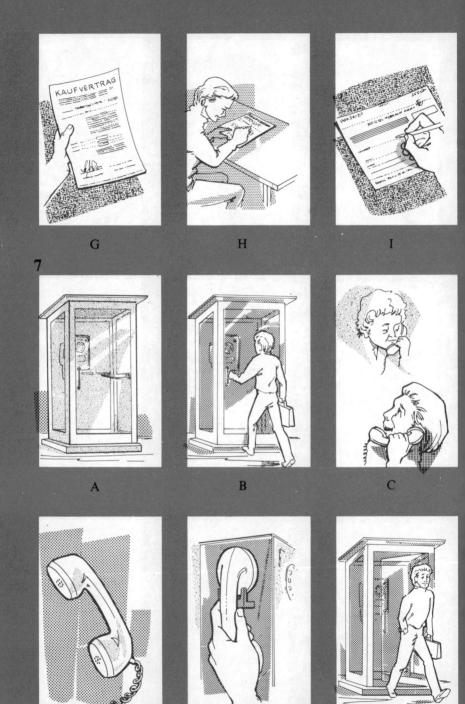

G

H

I

7

A

B

C

D

E

F

8

A

B

C

D

E

F

G

H

I

109

10

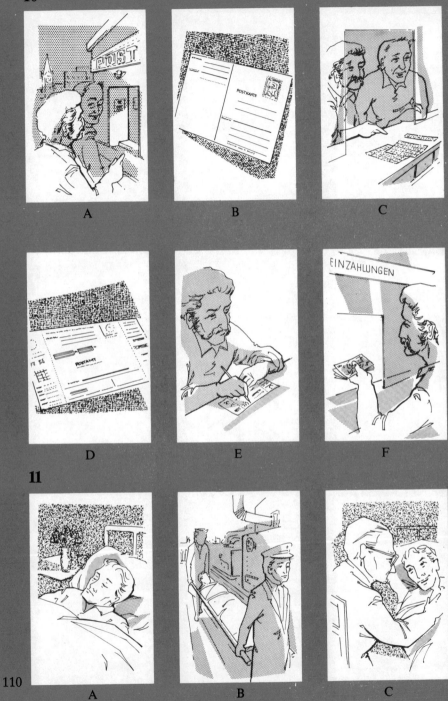

A

B

C

D

E

F

11

A

B

C

110

D

E

F

12

A

B

C

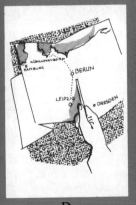

D

E

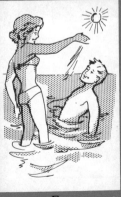

F

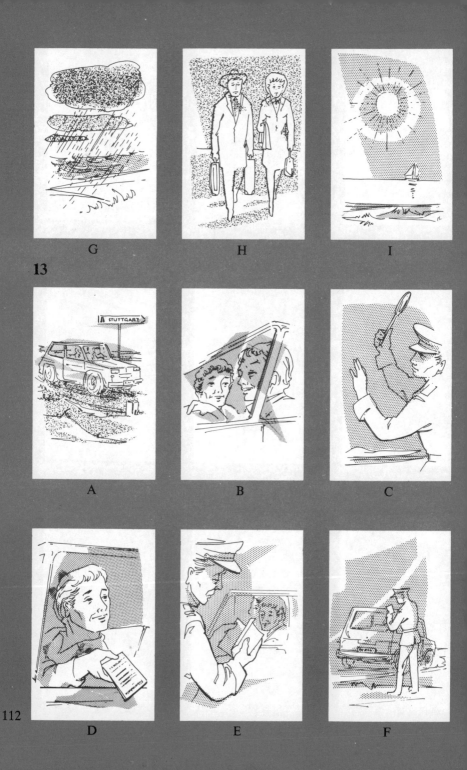

13

G   H   I

A   B   C

D   E   F

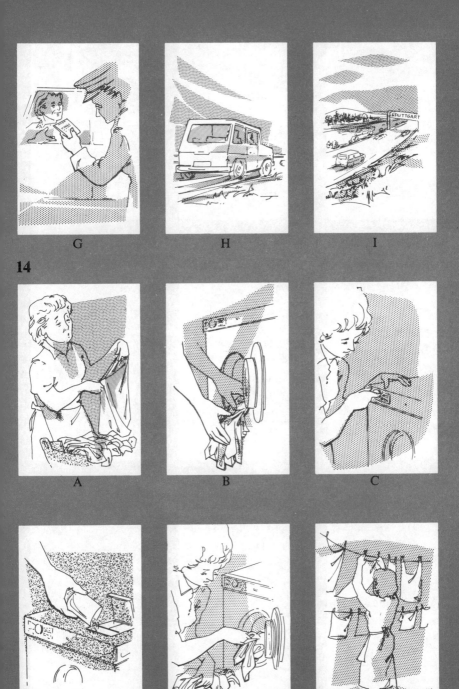

G

H

I

14

A

B

C

D

E

F

113

15

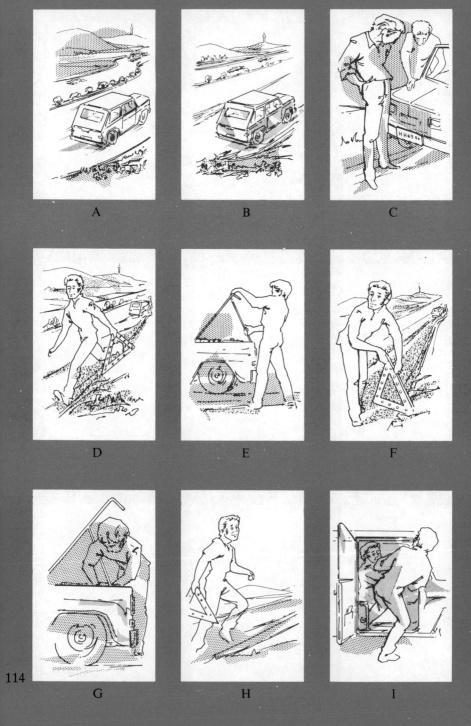

A

B

C

D

E

F

G

H

I

114

16

A

B

C

D

E

F

G

H

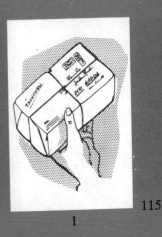

I

115

17

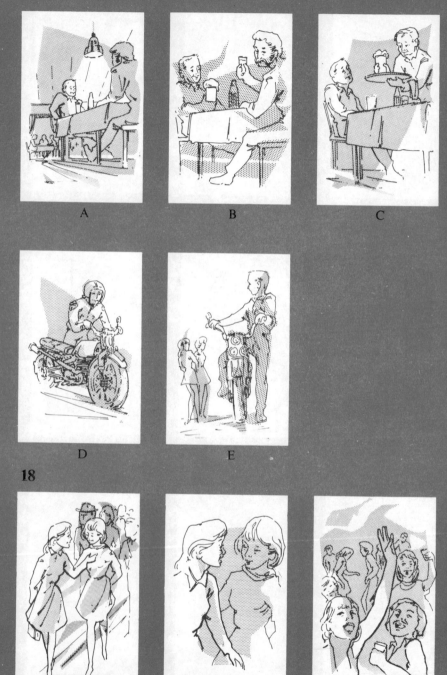

A

B

C

D

E

18

A

B

C

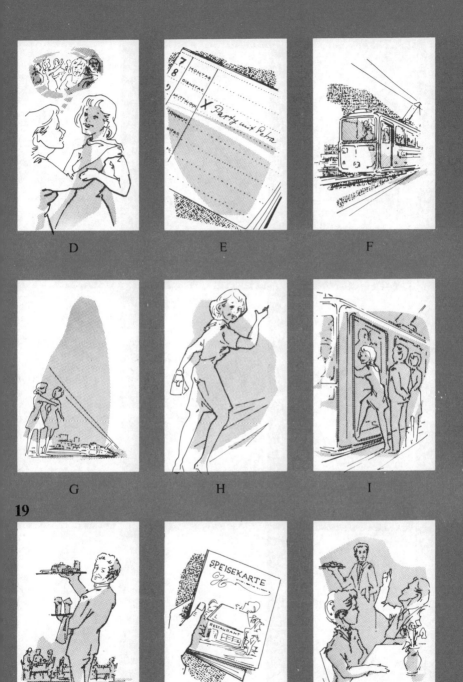

D

E

F

G

H

I

19

A

B

C

D

E

F

G

H

I

20

118

A

B

C

D

E

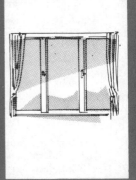

F

21

A

B

C

D

E

F

Die Zahlen

0	null	10	zehn	20	zwanzig		
1	eins	11	*elf*	21	*einundzwanzig*	10	zehn
2	zwei	12	*zwölf*	22	zwei*und*zwanzig	20	zwanzig
3	drei	13	dreizehn	23	dreiundzwanzig	30	drei*ß*ig
4	vier	14	vierzehn	24	vierundzwanzig	40	vierzig
5	fünf	15	fünfzehn	25	fünfundzwanzig	50	fünfzig
6	sechs	16	se*ch*zehn	26	sechsundzwanzig	60	se*ch*zig
7	sieb*en*	17	siebzehn	27	siebenundzwanzig	70	siebzig
8	acht	18	achtzehn	28	achtundzwanzig	80	achtzig
9	neun	19	neunzehn	29	neunundzwanzig	90	neunzig

100 hundert, einhundert	200 zweihundert	1 000 000	eine Million
101 hunderteins	300 dreihundert	2 000 000	zwei Millionen
110 hundertzehn	1 000 tausend, eintausend		

Maße

1 kg (Kilogramm)	= 1 000 gr (Gramm)	ein halbes Pfund	= 250 gr
1 Pfd. (Pfund)	= 500 gr (Gramm)	ein Viertelpfund	= 125 gr
1 km (Kilometer)	= 1 000 m (Meter)		
1 m (Meter)	= 100 cm (Zentimeter)		

Die Tageszeiten

der Morgen, der Vormittag, der Mittag, der Nachmittag, der Abend, *die* Nacht

Die Wochentage

Montag, Dienstag, Mittwoch, Donnerstag, Freitag, Sonnabend (Samstag), Sonntag

Die Monate

Januar, Februar, März, April, Mai, Juni,
Juli, August, September, Oktober, November, Dezember

Die Jahreszeiten

das Frühjahr (der Frühling), der Sommer, der Herbst, der Winter

Die Himmelsrichtungen

Nord- (Norddeutschland, die Nordsee)
Süd- (Süddeutschland, Südeuropa, Südamerika)
West- (Westdeutschland, Westeuropa)
Ost- (Osteuropa, Ostasien, die Ostsee)

Die Familie

die Eltern: der Vater, die Mutter   die Kinder: der Sohn, die Tochter
der Bruder, die Schwester

Die Satzzeichen

der Punkt (.), das Komma (,), das Semikolon (;), das Fragezeichen (?), das Ausrufungszeichen (!), der Doppelpunkt (:)